新星出版社

はじめに

　経済学に関する知識が、私たちの日常の暮らしでもごく普通に求められるようになりました。好景気とか不況とか、景気変動に関わる話題は昔から交わされてきました。フォワード・ガイダンス、プライマリー・バランス、イノベーション、はたまたフィンテックなどの新しい経済用語も続々と生まれています。

　折しも日本経済は、20年に及ぶ長い「デフレ」のトンネルを脱出して、「インフレ」への転換が視野に入っています。日銀はマイナス金利政策を停止して、17年ぶりに金利を引き上げ「ゼロ金利」に戻しました。

　経済学的に見た場合、現在の日本の政策はどのような意味を持つのか、簡単には答えの見つからない世界に、私たちは住んでいるのです。

　これほどの複雑な世の中を理解するために、何か良いテキストはないかと知恵を絞った結果、このようなイラスト図鑑ができあがりました。出だしの「Chapter 1」から順に読み進めていただけるように構成してありますが、どのChapterから読み始めていただいてもけっこうです。

- とくに身近に接することの多いマクロ経済学はもちろん、難解といわれるミクロ経済学についても、多くの項目を取り上げました。

- これまで経験のない、新しい経済事象が次々に起こっています。そのような時事問題についても、できるだけ紙面を割いています。

- 経済学の長い歴史についても概観できるように、用語解説という方法を通じて、主要な項目を網羅しています。

　この「経済用語イラスト図鑑」が、皆さまの新しい知識の習得に少しでもお役に立てることを心より願っております。

本書の制作に携わった全員を代表して

鈴木　一之

改訂版　経済用語イラスト図鑑　[目 次]

はじめに …………………………………………………… 3

Chapter 1

日本経済　身近な経済用語①

景気 …………………………………………………… 20

　　景気拡大　景気回復、景気拡張 ………………… 21

　　景気後退　景気収縮、景気縮小 ………………… 21

好況　好景気 ………………………………………… 22

不況　不景気 ………………………………………… 23

景気指標 ……………………………………………… 24

　　短観　日銀短観、全国企業短期経済観測調査 ………… 25

ＧＤＰ　国内総生産 ………………………………… 26

　　外需 ………………………………………………… 28

　　内需 ………………………………………………… 28

　　四半期別ＧＤＰ速報　QE ……………………… 29

　　ＧＮＰ　国民総生産 …………………………… 29

財政 …………………………………………………… 30

　　プライマリー・バランス　PB、基礎的財政収支 …………… 30

財政政策 ……………………………………………… 31

金融政策 ……………………………………………… 32

物価 …………………………………………………… 33

　　物価安定の目標 ………………………………… 34

　　物価上昇率　インフレ率 ……………………… 34

　　インフレーション　インフレ ………………… 35

デフレーション　デフレ …………… 35

金利 ……………………………………… 36

長期金利　経済の体温計 …………… 37

短期金利 …………………………… 38

プライムレート　最優遇貸出金利 ……… 38

スタグフレーション ………………… 39

株価　経済の鏡 …………………………… 40

日経平均株価　日経平均、日経225 …… 41

東証株価指数　TOPIX ……………… 41

為替　外国為替、外為 ……………………… 42

円高　円高ドル安、円高ユーロ安 ……… 43

円安　円安ドル高、円安ユーロ高 ……… 43

バブル経済　バブル、バブル景気 ………… 44

バブル崩壊 ………………………… 44

失われた30年 ……………………………… 45

日本版金融ビッグバン　金融システム改革 ……… 46

ゼロ金利政策 ………………………… 47

量的金融緩和　QE ………………… 47

量的・質的金融緩和　異次元緩和 ……… 48

マイナス金利政策 …………………… 48

量的緩和と量的引き締め　QE、QT ……… 49

テーパリング　量的緩和策縮小、出口戦略 ……… 49

改訂版　経済用語イラスト図鑑　[目 次]

Chapter

2

国際経済　身近な経済用語②

経済のグローバル化　経済のグローバリゼーション ……………… 52

　　G7　先進7ヵ国財務大臣・中央銀行総裁会議 ……………………… 53

　　G20　20ヵ国財務大臣・中央銀行総裁会議 …………………………… 53

貿易　輸出入 ……………………………………………………………… 54

比較優位の原理　比較優位、比較優位の原則 ……………………… 55

　　保護貿易　保護主義 ……………………………………………………… 56

　　自由貿易 ………………………………………………………………… 56

　　WTO　世界貿易機関 ………………………………………………… 57

　　USMCA　米国・メキシコ・カナダ協定 …………………………… 57

貿易収支 ………………………………………………………………… 58

　　貿易赤字と貿易黒字 …………………………………………………… 58

経常収支 ………………………………………………………………… 59

国際収支 ………………………………………………………………… 60

　　資本収支 ……………………………………………………………… 60

　　金融収支 ……………………………………………………………… 61

　　外貨準備　外貨準備高 ………………………………………………… 61

　　デフォルト　債務不履行 ……………………………………………… 62

　　IMF　国際通貨基金 …………………………………………………… 62

　　国際通貨　決済通貨、国際決済通貨、ハードカレンシー …………… 63

　　基軸通貨　基準通貨、準備通貨、キーカレンシー …………………… 63

外国為替市場　為替市場、外為市場 ………………………………… 64

6

外国為替相場 為替相場、為替レート ･･････････････････ 65

変動相場制 変動為替相場、変動レート制度、フロート制 ･･････ 66

固定相場制 固定為替相場、固定レート制度 ･･･････････････ 66

為替介入 外国為替市場介入、外国為替平衡操作 ･･･････････ 67

ファンダメンタルズ 経済の基礎的条件 ･･･････････････ 67

経済統合 経済一体化 ･･････････････････････････････ 68

FTA 自由貿易協定 ･････････････････････････････ 69

EPA 経済連携協定 ･････････････････････････････ 70

CPTPP
環太平洋パートナーシップに関する包括的及び先進的な協定 ････ 71

RCEP 地域的な包括的経済連携協定 ･･････････････ 71

ユーロ圏 ユーロゾーン、ユーロエリア ･･･････････････ 72

BRICS ･･･････････････････････････････････ 73

グローバル・サウス ･･･････････････････････････ 73

AIIB アジアインフラ投資銀行 ･･････････････････ 74

ADB アジア開発銀行 ･･･････････････････････････ 74

フィンテック ･････････････････････････････････ 75

DX デジタル・トランスフォーメーション ････････････ 76

生成AI ･･･････････････････････････････････ 76

デジタル通貨 ･････････････････････････････････ 77

暗号資産 仮想通貨 ･････････････････････････････ 77

サブスクリプション サブスク ･･･････････････････ 78

クラウドファンディング･･･････････････････････ 78

カーボンニュートラル 脱炭素化 ･･････････････････ 79

サステナビリティ 持続可能性 ･･･････････････････ 79

改訂版　経済用語イラスト図鑑　[目 次]

Chapter 3

経済学の基本用語

経済 ……………………………………………… 82

　財とサービス ………………………………… 83

　経済活動 ……………………………………… 83

経済主体 ………………………………………… 84

　生産 …………………………………………… 85

　分配 …………………………………………… 85

　支出 …………………………………………… 86

　交換 …………………………………………… 86

市場経済　資本主義市場経済 ………………… 87

経済学 …………………………………………… 88

　ミクロ経済学 ………………………………… 89

　マクロ経済学 ………………………………… 89

最適化行動 ……………………………………… 90

インセンティブ ………………………………… 91

希少性　希少性の原理 ………………………… 92

価値 ……………………………………………… 93

効用 ……………………………………………… 94

　利潤 …………………………………………… 95

　価格 …………………………………………… 95

トレード・オフ ………………………………… 96

　費用　コスト ………………………………… 97

　機会費用 ……………………………………… 97

8

Chapter

4

家計・企業　ミクロ経済学の用語①

限界　限界概念 ················· 100

　　需要 ················· 101

　　供給 ················· 101

需要曲線 ················· 102

供給曲線 ················· 103

需給均衡　均衡点、競争均衡 ················· 104

　　超過需要 ················· 105

　　超過供給 ················· 105

需要の弾力性　需要の価格弾力性 ················· 106

供給の弾力性　供給の価格弾力性 ················· 107

家計 ················· 108

限界効用 ················· 109

　　限界効用逓減の法則　ゴッセンの第1法則 ················· 109

所得効果 ················· 110

代替効果 ················· 111

　　正常財　上級財 ················· 112

　　劣等財　下級財 ················· 112

　　代替財 ················· 113

　　クロスの代替効果 ················· 113

　　補完財 ················· 114

　　全部効果　全効果、価格効果 ················· 114

ギッフェン財　ギッフェン・パラドックス ················· 115

9

改訂版　経済用語イラスト図鑑　[目次]

企業 ………………………………………………	116
生産要素 …………………………………………	117
限界生産　限界生産物、限界生産力 ……………	118
限界生産逓減の法則　限界生産力逓減の法則………………	118
生産関数 …………………………………………	119
限界分析 ………………………………………	119
費用曲線　総費用曲線 ……………………………	120
限界費用　限界コスト …………………………	121
総費用　総コスト ………………………………	121
固定費用　固定費………………………………	122
変動費用　可変費用、変動費…………………	122
平均費用 …………………………………………	123
総収入 …………………………………………	124
限界収入 ………………………………………	124
利潤の最大化 ……………………………………	125
損益分岐点　損益分岐点売上高 ………………	126
操業停止点 ……………………………………	126
埋没費用　サンク・コスト、埋没コスト ………………	127

Chapter 5

価格・市場　ミクロ経済学の用語②

市場　マーケット …………………………………	130
完全競争市場　完全競争 ………………………	131
市場均衡　市場均衡点、市場の均衡点 …………	132

均衡価格 競争価格 …………………………………… 133

市場価格 …………………………………………………… 133

プライス・テーカー 価格受容者 ………………………… 134

不完全競争市場 ………………………………………… 134

市場メカニズム 市場機構、価格メカニズム、価格機構、

価格調整メカニズム、価格の自動調整機能 …………………… 135

生産者余剰 ……………………………………………… 136

消費者余剰 ……………………………………………… 136

社会的余剰 総余剰 …………………………………… 137

資源配分 価格の資源配分機能 …………………………… 138

見えざる手 神の見えざる手 …………………………… 138

パレート最適 パレート効率性 …………………………… 139

限界生産物価値 限界生産価値 …………………………… 140

レント …………………………………………………… 142

準レント ………………………………………………… 143

ローレンツ曲線 ………………………………………… 144

ジニ係数 ………………………………………………… 145

独占 ……………………………………………………… 146

プライス・メーカー 価格設定者 ……………………… 147

逆需要曲線 逆需要関数 ………………………………… 147

独占利潤 ………………………………………………… 148

独占度 マージン率 ……………………………………… 149

自然独占 ………………………………………………… 149

寡占 ……………………………………………………… 150

複占 ……………………………………………………… 150

プライス・リーダー プライス・リーダーシップ ………… 151

改訂版　経済用語イラスト図鑑　[目 次]

同質財 ……………………………………… 152

差別財 ……………………………………… 152

独占的競争 ………………………………… 153

ゲーム理論　ゲームの理論 ……………… 154

ナッシュ均衡 ……………………………… 155

ペイ・オフ　利得 ………………………… 155

囚人のジレンマ …………………………… 156

カルテル …………………………………… 158

フォーク定理　フォークの定理 ………… 159

繰り返しゲーム …………………………… 159

市場の失敗 ………………………………… 160

市場の外部性　外部性、外部効果 ……… 161

外部経済　正の外部性 …………………… 162

外部不経済　負の外部性 ………………… 162

外部性の内部化　外部効果の内部化、外部不経済の内部化 …… 163

ピグー課税　ピグー税 …………………… 164

コースの定理 ……………………………… 164

公共財 ……………………………………… 165

私的財 ……………………………………… 165

サミュエルソンの公式　サミュエルソン条件 ………… 166

フリーライダー　ただ乗り ……………… 166

情報の非対称性　情報の不完全性 ……… 167

モラル・ハザード ………………………… 167

逆選択　逆選抜 …………………………… 168

レモン市場 ………………………………… 169

グレシャムの法則　悪貨は（が）良貨を駆逐する ………… 169

Chapter

6

GDP・景気　マクロ経済学の用語①

付加価値 ……………………………………………………… 172

ＳＮＡ　ＪＳＮＡ、国民経済計算、国民経済計算体系 ………… 174

　フロー …………………………………………………………… 176

　ストック ………………………………………………………… 176

合成の誤謬 …………………………………………………… 178

名目ＧＤＰ …………………………………………………… 179

　実質ＧＤＰ …………………………………………………… 180

　１人あたりＧＤＰ …………………………………………… 180

三面等価の原則　ＧＤＰの三面等価の原則 ………………… 181

　ＮＤＰ　国内純生産 …………………………………………… 182

　ＮＮＰ　国民純生産 …………………………………………… 182

所得 …………………………………………………………… 183

　ＮＩ　国民所得 ……………………………………………… 183

物価指数 ……………………………………………………… 184

　消費者物価指数　ＣＰＩ …………………………………… 184

　企業物価指数　ＣＧＰＩ …………………………………… 185

　企業向けサービス価格指数　ＣＳＰＩ ………………… 185

　ＧＤＰデフレーター ………………………………………… 186

　ハイパー・インフレ

　　ハイパー・インフレーション、超インフレーション ……… 187

　インフレ・ターゲット　インフレーション・ターゲティング … 187

　デフレ・スパイラル ………………………………………… 188

13

改訂版　経済用語イラスト図鑑　[目 次]

資産デフレ …………………………………… 188

資産効果　ピグー効果 ……………………… 189

経済成長 ……………………………………… 190

　経済成長率 …………………………………… 190

　名目経済成長率 ……………………………… 191

　実質経済成長率 ……………………………… 191

　経済成長理論 ………………………………… 192

　経済発展の理論 ……………………………… 192

　ハロッド＝ドーマー・モデル　ハロッド＝ドーマー理論 … 193

　内生的成長モデル　内生的成長理論 ……………………… 193

　有効需要 ……………………………………… 194

有効需要の原理　有効需要理論 …………… 195

ＩＳ－ＬＭモデル　ＩＳ－ＬＭ分析 …… 196

　ＩＳ曲線 ……………………………………… 197

　ＬＭ曲線 ……………………………………… 198

　均衡国民所得 ………………………………… 199

　均衡利子率 …………………………………… 199

　消費関数 ……………………………………… 200

　限界消費性向 ………………………………… 200

　平均消費性向 ………………………………… 201

景気動向指数 ………………………………… 202

　ＣＩ　コンポジット・インデックス ……………… 203

　ＤＩ　ディフュージョン・インデックス …………… 204

　一致指数 ……………………………………… 204

　先行指数 ……………………………………… 205

　遅行指数 ……………………………………… 205

景気循環 景気変動、景気の波 ······················· 206

　景気の山 ··· 207

　景気の谷 ··· 207

　キチンの波 キチン循環、短期波動、小循環、在庫循環·········· 208

　ジュグラーの波

　　ジュグラー循環、中期波動、主循環、設備投資循環 ················· 208

　クズネッツの波 クズネッツ循環、建築循環 ·················· 209

　コンドラチェフの波 コンドラチェフ循環、長期波動 ········ 209

Chapter

7

政府・日銀　マクロ経済学の用語②

公共部門 ··· 212

　民間部門 ··· 212

政府 中央政府 ··· 213

　資源配分機能 ··· 213

　所得再分配機能 ··· 214

　経済安定化機能 ··· 214

乗数効果 乗数プロセス ··· 215

ビルト・イン・スタビライザー 自動安定化装置 ··············· 216

クラウディング・アウト クラウディング・アウト効果 ········· 217

流動性の罠 ··· 218

財政赤字 ··· 219

　完全雇用財政赤字 ··· 220

　公債 ··· 220

15

改訂版　経済用語イラスト図鑑　[目次]

ドーマーの条件　ドーマー条件、ドーマーの定理 …………… 221

　ボーンの条件　ボーン条件 …………… 221

リカードの中立命題　リカードの等価定理 ………… 222

バローの中立命題 ………………………… 223

レッセ・フェール　自由放任主義 ………… 224

　セイの法則 …………………………………… 224

　小さな政府 …………………………………… 225

　大きな政府 …………………………………… 225

ケインズ政策　総需要管理政策 …………… 226

　完全雇用 …………………………………… 226

シカゴ学派 ………………………………… 227

貨幣 ………………………………………… 228

管理通貨制度 ……………………………… 229

マネーサプライ　マネーストック、通貨残高、通貨供給量 ………… 230

マーシャルのＫ …………………………… 231

金融 ………………………………………… 232

ハイパワード・マネー　マネタリーベース、ベースマネー………… 233

信用創造 …………………………………… 234

　信用乗数　貨幣乗数 ………………………… 235

中央銀行 …………………………………… 236

　日本銀行　日銀 …………………………… 236

　ＦＲＢ　連邦準備制度理事会 ………………… 237

　ＥＣＢ　欧州中央銀行 ………………………… 237

政策金利 …………………………………… 238

　基準割引率および基準貸付利率 …………… 239

公開市場操作　オペレーション …………………… 240

売りオペレーション　売りオペ、資金吸収オペレーション …… 241

買いオペレーション　買いオペ、資金供給オペレーション …… 241

預金準備率操作　法定準備率操作 …………………………………… 242

金融システム ………………………………………………………… 243

最後の貸し手　ＬＬＲ ………………………………………… 243

貨幣の中立性　貨幣の中立性命題 ………………………………… 244

総需要 ………………………………………………………………… 246

総供給 …………………………………………………………… 246

労働市場の均衡 ……………………………………………………… 247

賃金の下方硬直性 …………………………………………… 247

総供給曲線　ＡＳ曲線 ……………………………………………… 248

総需要曲線　ＡＤ曲線 ……………………………………………… 249

ＡＤ－ＡＳモデル
ＡＤ－ＡＳ分析、総需要総供給モデル、総需要総供給分析 …………… 250

Chapter

8

経済学史の用語

重商主義 ……………………………………………………………… 254

重農主義 ……………………………………………………………… 254

古典派経済学　古典派、古典学派、イギリス古典派経済学 ………… 255

労働価値説 …………………………………………………………… 256

マルクス経済学　マルクス主義経済学、マル経 ………………… 257

新古典派経済学 ……………………………………………………… 258

限界革命 ……………………………………………………………… 259

改訂版　経済用語イラスト図鑑　[目次]

一般均衡理論　一般均衡分析 ……………………………… 259

ケインズ経済学 ………………………………………………… 260

　ケインズ革命 ………………………………………… 261

　デマンドサイド経済学　需要サイド経済学 ………………… 261

　流動性選好　流動性選好説 ………………………………… 262

新自由主義　ネオリベラリズム ……………………………… 263

　サプライサイド　供給サイド ……………………………… 263

　マネタリズム ………………………………………… 264

　貨幣数量説 ………………………………………… 264

行動経済学 ……………………………………………………… 265

〈巻末付録〉
経済用語事典
……………… 267〜293

索　引 …………………………………… 294〜303

本書の内容は2024年5月時点の情報をもとに作成しています

編集協力／和田秀実、有限会社クラップス
DTP・図版／田中由美

Chapter 1

日本経済
身近な経済用語①

景気

　私たちにとって、最も身近な経済の用語といえば、「景気」でしょう。日常の会話でも、当たり前のように使っています。

　「景気」というのは、全般的な調子の良し悪しをあらわす言葉です。たとえば、次のような会話を想像するとわかりやすいでしょう。

　同じように、経済の話で「景気」というときは、1つの会社のことではなく、経済全般の調子の良し悪しをいいます。

　つまり、何か1つの良し悪しではなく、全般的な経済の調子です。英語では「business」を用い、同じく全般的な調子をあらわします。

景気拡大　景気回復、景気拡張

景気は、良くなったり、悪くなったりして、**循環**します（☞ P.206）。いちばん悪い**景気の谷**（☞ P.207）から、良くなっていくのが「**景気拡大**」です。「**景気回復**」とか「**景気拡張**」ともいいます。景気が拡大する局面では、物価や金利、株価などが上昇します。

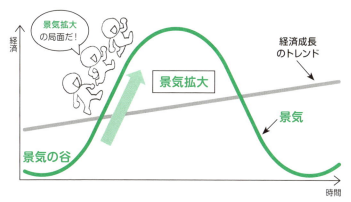

景気後退　景気収縮、景気縮小

景気が拡大を続けると、やがて**景気の山**（☞ P.207）を迎え、「**景気後退**」の局面に入ります。景気は悪くなっていき、そして再び景気の谷に向かいます。景気後退の局面では、物価や金利、株価などの下降が見られます。こうして、**景気のサイクル**がひと回りします。

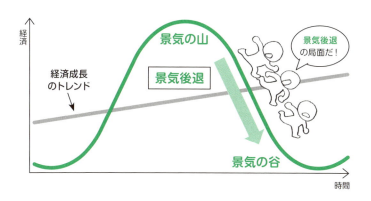

好況

好景気

　景気が拡大して、景気が良い状態が「**好況（好景気）**」です。経済活動が活発になり、企業の生産や個人の消費が伸びます。それにともない、物価や金利、株価なども上昇するのが普通です。その反対に、景気が悪い状態は「**不況**」（☞次項）といいます。

　もっとも、好況か不況かの見方には、2つあります。
　1つの見方は、経済成長の平均的なトレンドを超えたら「**好況**」、下回ったら「**不況**」というものです。この見方では、景気は好況か不況のどちらかで、どちらでもない中間というものがありません。

好況・不況の見方①

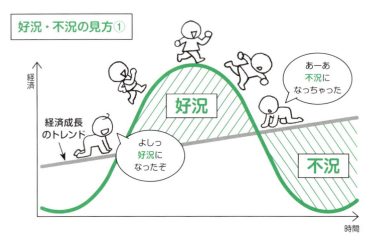

不況

不景気

　もう1つの好況・不況の見方は、景気の山に近い、良い状態だけが「好況」で、景気の谷に近い、悪い状態だけが「不況（不景気）」というものです。この見方では、好況と不況の間に、景気回復期と、景気後退期が入り、「景気回復→好況→景気後退→不況」という景気のサイクルになります。

好況・不況の見方②

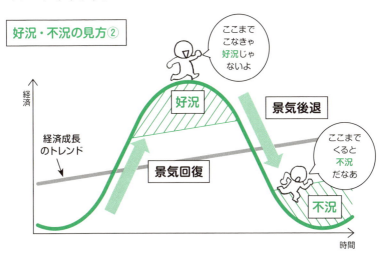

　不況では経済が停滞し、企業の生産や個人の消費も減ります。物価や金利、株価などが下降するほか、賃金も低い水準にとどまって上がりません。その一方で、世の中全体に仕事が減るので、失業率は高くなります。

景気指標

　景気が良い悪いは、何を見て決めるのでしょうか。これには「**景気指標**」と呼ばれるものがあります。狭い意味では、内閣府が毎月公表する**景気動向指数**を指しますが、広い意味では、日銀が3ヵ月に一度公表する、企業に対するアンケート調査の結果（**短観**）や**GDP速報**などを含む統計のことです。

　このほかに、分野別の景気指標があります。そのなかには、景気の動きとほぼ同時に動くもの（**一致指標**）や、先行して動くもの（**先行指標**）、遅れてあらわれるもの（**遅行指標**）があります。そこで、分野別の景気指標は、以下の3つに分けて見るのが一般的です。

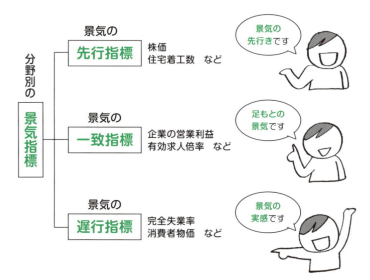

先行指標は、景気の先行き、がわかります。
一致指標は、足もとの景気、がわかります。
遅行指標は、景気の後退や回復を、実感として感じられます。

短観 日銀短観、全国企業短期経済観測調査

　景気指標の1つである「**短観**（**日銀短観**、**全国企業短期経済観測調査**）」とは、じつは**日銀**（**日本銀行**、☞ P.236）が四半期ごとにおこなっているアンケート調査の結果です。全国約1万社の企業（経営者）を対象に、景気の現状をどう見ているか（**景況感**、☞ P.271）、先行きをどう考えるか（景気見通し）などを聞いています。

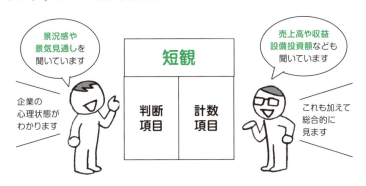

GDP

Gross Domestic Product、国内総生産

「ＧＤＰ（Gross Domestic Product、国内総生産）」の速報が、景気指標になるのは、なぜでしょうか。それはＧＤＰが、**国の経済規模をあらわす数字**だからです。経済規模が大きくなっていると「経済活動が活発→景気が良い」、反対に経済規模が小さくなっていると「経済活動が停滞→景気が悪い」という関係が成り立ちます。

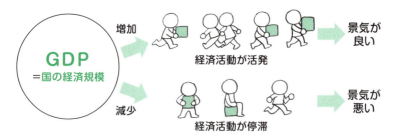

ＧＤＰは、ある期間内に「**国内で生産された付加価値の総額**」とされています。「**国内で**」というのがポイントです。

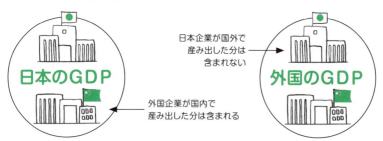

国別のＧＤＰを計算して国の経済規模を比較したり、**１人あたりＧＤＰ**（☞P.180）を計算して、その国の生産性を測ることもできます。

それでは「付加価値」（☞ P.172）とは、何でしょうか。ようするに、人や企業が、商品やサービスに付け加えた価値、ですが……。

付加価値とは

たとえば、メーカーから90円の製品を仕入れて、100円の商品として販売したら、差額の10円が付加価値となる

その仕入先メーカーが、70円の部品を仕入れて組み立て、90円の製品として販売していたら、差額の20円が付加価値となる

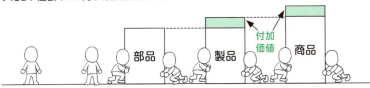

その部品メーカーが、40円の原材料を仕入れて製造し、70円の部品として販売していたら、差額の30円が付加価値となる

その原材料メーカーが、原材料を製造して、40円の原材料として販売していたら、その40円が付加価値となる

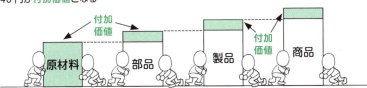

　このようにして、国内で人や企業が産み出したすべての付加価値を合計したものがＧＤＰです。この場合、部品や製品、商品自体の価値は、付加価値に加えないことに注意してください。

外需

　ＧＤＰには、日本企業が国外で生産した分の付加価値は含まれませんが、日本で生産して国外に輸出した分は含まれます。これが国外の需要、「**外需**」です。ただし、輸入の分はマイナスになるので、実際には輸出額から輸入額を引いた「純輸出」がＧＤＰに加えられます。

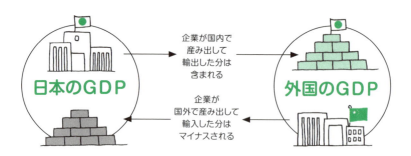

内需

　一方、国内の需要は「**内需**」です。ＧＤＰは、外需と内需の合計なのです。内需には、民間企業だけでなく、政府の公共投資などが含まれます。ＧＤＰは「民間部門」「政府部門」（**公共部門**、☞P.212）、それに「海外部門」（純輸出）の合計ということです。

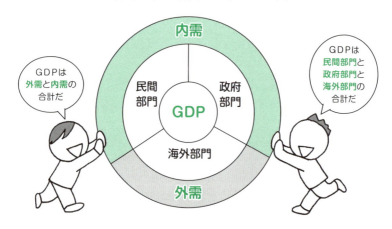

四半期別GDP速報　QE、Quarterly Estimates

　景気指標として利用されるのは、内閣府が**四半期ごと**に推計して、四半期末の1ヵ月半後に発表している「**GDP速報値**」です。「**QE**」とも呼ばれます。GDPはこの1次速報の後、2次速報、確報、確々報が発表され、数値が改定されることもしばしばです。

GNP　Gross National Product、国民総生産

　GDPに対して、「**GNP**」は「**国民総生産**」。「国民」ですから日本企業が国外で生産した分などの付加価値も含まれます。以前は景気を測る指標としても用いられましたが、**国民経済計算**（☞P.174）の導入により、現在は景気をより正確に反映するGDPが重視されています。

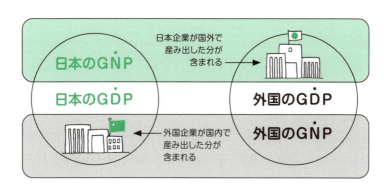

財政

　ＧＤＰは、民間部門と政府部門、海外部門の合計（☞P.28）ですが、このうち政府部門の経済活動を「**財政**」といいます。ようするに、政府が税金や国債などでお金を集め、社会保障などの公共サービスをしたり、道路などの公共施設を作ったりすることです。

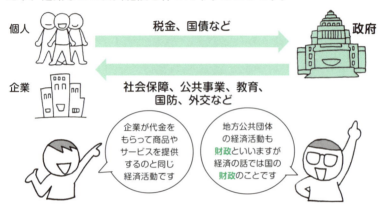

プライマリー・バランス　PB、基礎的財政収支

　財政の基礎的な収支を「**プライマリー・バランス（ＰＢ）**」といいます。国の収入である「**歳入**」から国債（借金の分）を除き、支出である「**歳出**」から国債費などを除いて、基礎的なバランスを見るものです。近年の日本では、ＰＢはマイナス（赤字）の状態が続いています。

財政政策

　財政を通じて、政府がおこなう経済政策が「**財政政策**」です。財政政策には、3つの役割があります。

　そして第3の役割が、景気が悪いときに良くするなど、経済を安定させることです。国の財政は規模が巨大なので、**財政政策**を通じて景気にまで影響を与えることができます。

　公共事業は直接、企業の仕事を増やして景気を刺激し、減税は企業や個人の使えるお金を増やして、**設備投資**（☞P.280）や消費を拡大する働きがあります。こうして政府は景気のコントロールをはかっています。

金融政策

　政府の財政政策に対して、日本の**中央銀行**である**日本銀行**（☞P.236）――**日銀がおこなう経済政策**が「**金融政策**」です。日銀の金融政策では、市場の金利を一定の水準に誘導することや、世の中に流通する資金の量の調節を通して、景気などに影響を及ぼします。

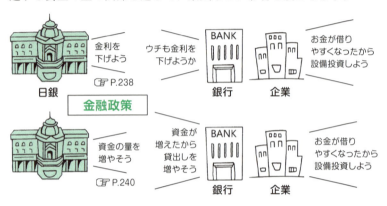

　金融政策の手段としては、かつては「**公定歩合操作**」（☞P.238）や「**預金準備率操作**」（☞P.242）も使われましたが、現在では「**公開市場操作**」、通称「**オペレーション**」（☞P.240）が中心になっています。これは金融機関を相手におこなう、資金の貸付けや国債の売買などのことです。

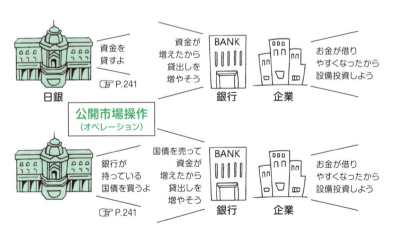

物価

日銀は、金融政策の最も重要な目標として「**物価の安定**」を掲げています。日銀のことを「物価の番人」というくらいです。

> 日本銀行法　第二条
> 日本銀行は（中略）、**物価の安定を図る**ことを通じて国民経済の健全な発展に資する（後略）。

なぜ、「物価の安定」が金融政策の重要な目標なのでしょうか。私たちは、物価が上がる、物価が下がるといいますが、「物の価値」は変わりません。パン1個は、100円でも110円でも、パン1個です。変わるのは「お金の価値」のほうなのです。

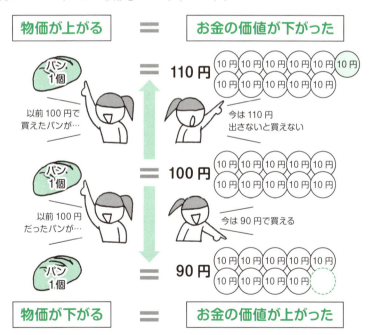

お金の価値がコロコロ変わっては、安心してお金を使うことも、貯めることもできません。**物価の安定**は、すべての経済活動の基盤です。

物価安定の目標

物価と**景気**にも、深い関係があります。景気が拡大しているときは物価が上がり、後退しているときには物価が下がる傾向があるのです。

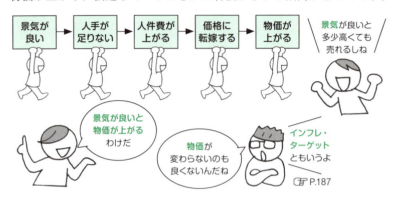

ですから、日銀が目指す物価の安定は、物価上昇率０％ではありません。2024年５月現在、「**物価安定の目標**」を２％としています。

物価上昇率　インフレ率

「**物価上昇率**」は、前月や前年を基準にした物価上昇の割合です。いろいろな**物価指数**（☞P.184）の変動から算出されています。

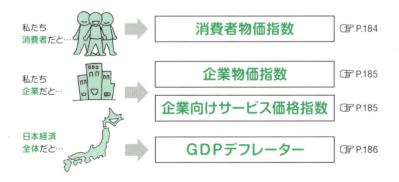

このうち、日銀が「物価安定の目標」としているのは、消費者物価の前年比上昇率２％です。

インフレーション　インフレ

物価が上がり続ける状態が「**インフレーション**」です。景気との関係でいうと、**インフレ**は経済が好況のときに起こりやすくなります。

インフレで借金は実質的に減りますが、貸したお金や貯めたお金の価値は下がってしまいます。だから過度なインフレも良くないのです。

デフレーション　デフレ

「**デフレーション**」は、インフレの反対に、物価が下がり続ける状態です。不況のときほど、**デフレ**が起こりやすくなります。

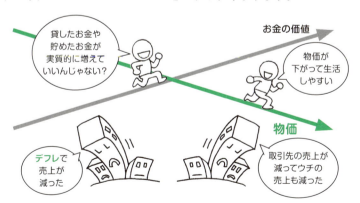

この状態が続くと、際限のないデフレと不況の悪循環におちいる、「**デフレ・スパイラル**」（☞P.188）になります。

金利

「**金利**」も、**景気**と深い関係があります。金利とは、お金を貸したり預けたりするともらえるお金、「金」を貸して得られる「利」益の率ということです。得られる金額は「**利息**」とか「**利子**」といいます。

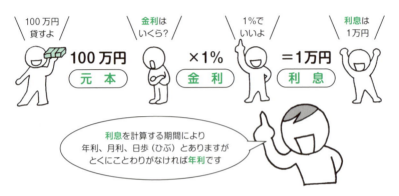

預貯金の種類などによって金利は変わりますが、経済の話で金利が出てきたときは、全体的な金利の水準のことをいっています。全体的な金利の水準を決めるのは、お金を借りたい人の需要と、お金を貸したい人の供給の関係です。そのため、景気が良いときは金利が上がり、景気が悪いときは金利が下がる傾向になります。

このように、金利もまた、景気に影響を与えます。金利の水準は通常、景気が良いときは悪くなるように、悪いときは良くなるように、**景気の変動を抑える方向に上下する**のです。これが金利と景気の基本的な関係なのですが、そうでないケースも…（☞P.39）。

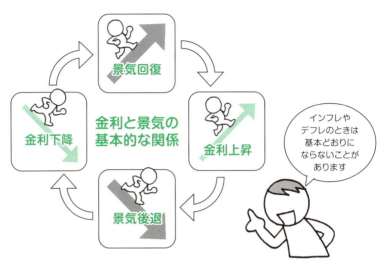

長期金利　経済の体温計

　金利には、「**長期金利**」と「**短期金利**」があります。期間が1年以上の資金を貸し借りするときの金利が「**長期金利**」です。長期金利の水準は、市場の将来予測で決まるとされ、景気の将来予測ともいえることから「**経済の体温計**」と呼ばれています。

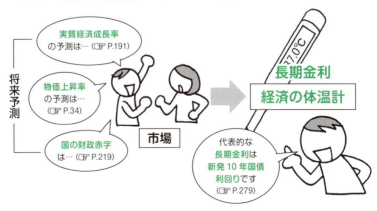

短期金利

　一方、期間が1年未満の金利が「**短期金利**」です。短期金利の水準は、市場よりもむしろ金融政策で決まります。日銀が短期金利の一部を金融政策の操作目標としているからです。金利と景気の関係を逆に利用し、金利の上昇・下降から景気に影響を及ぼそうというわけです。

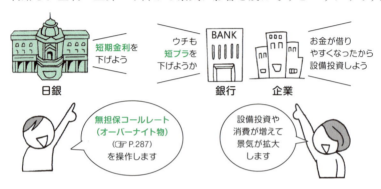

プライムレート　最優遇貸出金利

　銀行が、信用力のある企業にお金を貸し出す際の金利が「**プライムレート**」です。**短期**と**長期**があり、それぞれ「**短プラ**」「**長プラ**」と呼びます。短プラは短期金利の水準の影響を受け、長プラは短プラに一定率を上乗せして決まります。こうして、短期金利の水準が他の金利に波及していくのです。

スタグフレーション

　金利と景気の基本的な関係は前に見たとおりですが（☞P.37）、違う動きになることもあります。たとえば、景気が後退しているのに**インフレ**が起こると、下がるはずの金利が下がらず、逆に上がって、景気をより悪化させることがあるのです。スタグネーション（不況）とインフレーションを合わせて「**スタグフレーション**」と呼ばれます。

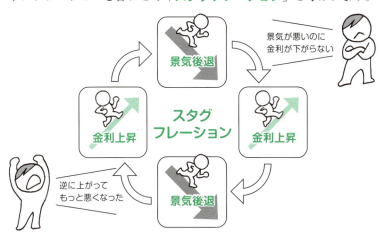

　反対に、**デフレ**で、金利が下がって景気が拡大するはずなのに、金利がいくら下がっても景気が回復しないこともあります。近年の日本が経験した長期間のデフレが、まさにこのパターンでした。

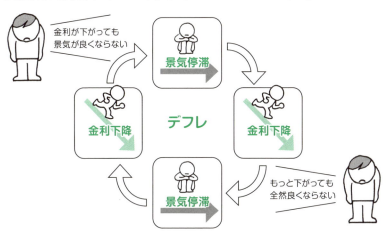

株価

経済の鏡

「**株価**」と**景気**の関係の深さは、いうまでもありません。早い話、株価は景気の**先行指標**（☞ P.24）です。そのため「**経済の鏡**」と呼ばれたりもします。しかし、それだけではありません。景気の拡大を先取りして株価が上昇すると、景気はさらに拡大するのです。

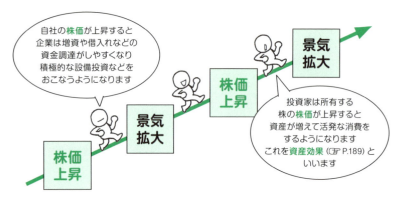

株価は、景気の先行指標ですから、**景気の山**（☞ P.207）を迎える前に、株価は下落を始めます。そうなると今度は、株価の下落が景気の後退をさらに助長するのです。株価と景気には、たがいに上昇や下落を増幅する関係にあることがわかります。

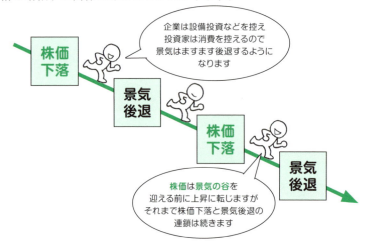

日経平均株価 日経平均、日経225

　景気が良くても悪くても、個々の企業の株価は上がったり下がったりします。そこで、株価全体の水準を見るのに利用するのが「**株価指数**」と呼ばれるものです。東京証券取引所（東証）の株価をあらわす代表的な株価指数として「**日経平均株価**」があります。

東証株価指数 TOPIX、Tokyo Stock Price Index

　もう1つの代表的な株価指数が「**東証株価指数**」。東京証券取引所が1秒ごとに計算して公表しています。株価指数などの指数とは、ある時点の数値を100や1000などとして、それ以後の数値を比較してあらわすものです。東証株価指数は1968年1月4日の旧・東証第一部上場の全企業の時価総額を100としています。

為替
かわせ

外国為替、外為（がいため）

「為替」と景気も、互いに影響を与え合う関係にあります。「為替」とは、もともとは現金を動かさずにお金を送る方法の総称でした。しかし今日では、為替といえば**外国為替**のことを指すことが多くなっています。景気と深い関係にあるのは、正確にいえば**外国為替相場**（☞P.65）の動きです。ただし、その関係は単純ではありません。

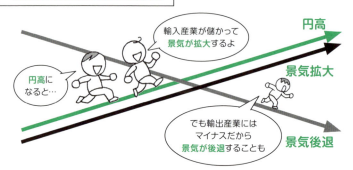

ようするに、景気と為替はプラスに働くことも、マイナスに働くこともある関係ということです。どちらに働くかは、そのときの経済状況や国際情勢次第になります。

円高　円高ドル安、円高ユーロ安　など

「**円高**」になると、為替相場の「円」の金額が減ります。これは為替相場が「1ドルが、何円で買えるか」をあらわす金額だからです。

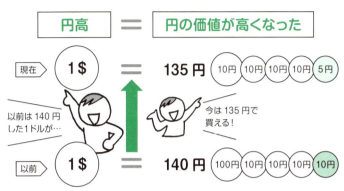

一般に円高には景気が悪くなるイメージがあります。輸出産業では輸出する製品の価格がドルベースで高くなり、価格競争力が落ちるからです。

円安　円安ドル高、円安ユーロ高　など

円安では輸出産業の競争力が高まる代わりに、輸入する製品の価格がドルベースでは高くなり、輸入産業がダメージを受けます。

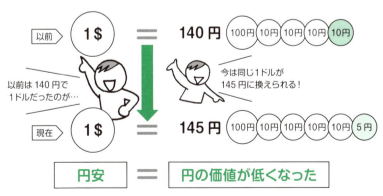

また、輸出産業も輸入する原材料のコスト増というデメリットがあり、デメリットがメリットを上回ると「**悪い円安**」になります。

バブル経済

バブル、バブル景気

　景気が拡大を続け、経済の実体以上に、泡のように膨れあがった状態が「バブル経済」です。「バブル」は、なぜ起こるのでしょうか。

　日本経済が1980年代後半から経験したバブルでは、地価と株価の上昇が上昇を呼び、値上がり益への期待でさらに相場が上昇しました。

バブル崩壊

　しかし、必ず「バブル崩壊」が起きます。日本のバブルでは、1990年代に入って地価と株価が急落し、景気の急減速を招きました。

　バブル期に、土地を担保として融資をおこなった銀行は、その後、長く不良債権の処理に苦しみ、社会問題にまで発展したのです。

失われた30年

バブル崩壊後、日本経済は長い停滞期間（**失われた30年**）に入ります。不良債権処理の遅れから、金融機関の破綻も相次ぎました。

2002年からは、**いざなみ景気**（☞ P.267）と呼ばれる景気回復期間もありましたが、ゆるやかすぎて実感のない景気回復でした。

そして2008年、**リーマン・ショック**によって世界同時不況が起こり、日本は再びマイナス成長におちいるのです。

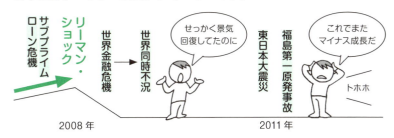

2012年からは統計上、景気拡大に転じていますが、力強さに欠け、賃金の上昇も鈍く、現在に至るデフレ経済下での長期停滞を「失われた30年」という人もいます。

日本版金融ビッグバン　金融システム改革

「失われた20年」のさなか、政府は金融システムの改革に乗りだします。経済の安定のために、政府が金融取引に課す制限を**金融規制**（☞P.270）といいますが、その規制緩和を大規模におこないました。今では当たり前になっていることの多くが、このときに実現しました。

1980年代にイギリスでおこなわれた金融制度改革「ビッグバン」になぞらえて、「**日本版金融ビッグバン**」と呼ばれるこの金融規制の緩和、撤廃は、ほとんどが1998年から2001年までの間に実施されました。その後も銀行、保険、証券などの規制緩和は続いています。

ゼロ金利政策

一方、日銀はバブル崩壊後、経済を好況に導く金融政策をとります。いわゆる**金融緩和**（☞P.270）です。その代表的なものに、**金利の引き下げ**があります。バブル崩壊後、最悪の経済状況となった1999年、日銀は短期金利の水準を0.15％に誘導しました（**ゼロ金利政策**）。

量的金融緩和　QE (Quantitative Easing)

ゼロ金利政策はいったん解除され、2000年代初めに**ITバブル**（☞P.291）が崩壊すると再び導入されます。このとき同時に始まったのが、市場に供給する資金量（マネタリーベース）を増やして景気回復をはかる、「**量的金融緩和**（**QE**）」です。金融機関の債券などを買い、日銀の当座預金残高を増やします。

量的・質的金融緩和　異次元緩和

　量的金融緩和の政策も、いったん解除されますが、2013年には操作目標が金利水準から日銀が市場に供給する資金量（**マネタリーベース**）に変更され、ＣＰ、社債、ＥＴＦなどの買入れに加えて、長期国債の買入れが開始されました（**量的・質的金融緩和**）。国債の買入れで**長期金利**（☞ P.37）に直接、影響を与えることにしたのです。

マイナス金利政策

　2016年には「**マイナス金利付き量的・質的金融緩和**」が導入されます。当座預金の制度に「**政策金利残高**」を設け、そこに－0.1％の「**マイナス金利**」を適用したのです。さらに同年9月からは「**長短金利操作付き量的・質的金融緩和**」を導入しています。マイナス金利は2024年3月に解除されました。

量的緩和と量的引き締め　QE、QT

　日本の金融政策は景気浮揚をねらって長らく量的緩和策をとってきました。しかし、これでは日銀が保有する国債などの資産が増える一方です。いずれは保有している国債の売却などで資産の規模を正常な状態に戻さなくてはなりません。これを「**量的引き締め（QT：Quantitative Tightening）**」といいます。

QE : Quantitative Easing
QT : Quantitative Tightening

テーパリング　量的緩和策縮小、出口戦略

　日銀のような中央銀行が金融緩和策から抜けだそうとするときには、まず市場に供給する資金量を徐々に減らすことから始めます。それが「**テーパリング**」です。テーパリングは、量的緩和（QE）からの**出口戦略**といわれることがあります。

1分でチェック! この章のポイント

- ☐ 景気には、景気回復（拡大）→好況→景気後退→不況といったサイクルがある。

- ☐ 景気の良し悪しは、日銀短観やGDP速報などの景気指標などから判断される。

- ☐ GDPとは、ある期間内に国内で生産された付加価値の総額。

- ☐ 国の財政の基礎的な収支を、プライマリー・バランスという。

- ☐ 政府がおこなう財政政策には、①資源配分、②所得再分配、③経済安定化の3つの役割がある。

- ☐ 日本の中央銀行である日本銀行（日銀）は、公開市場操作（オペレーション）などの手段を使って金融政策をおこなう。

- ☐ 日銀の金融政策でいちばん重要な目標は、物価の安定である。

- ☐ 株価は、景気の先行指標となる。代表的な株価指数には、日経平均株価（日経225）、東証株価指数（TOPIX）がある。

- ☐ 為替も、景気と影響を与え合う。たとえば、円高になると輸入産業が儲かり、景気が拡大する。ただし輸出産業にはマイナスに働くため、景気が後退することもある。

- ☐ また円安も、あまりに急激だと輸入原材料のコスト増などにより輸出産業までダメージを受け、「悪い円安」になる。

- ☐ 日銀は、2013年に量的・質的金融緩和（異次元緩和）、2016年にマイナス金利付き量的・質的金融緩和など、物価安定に向けた金融政策をおこなっている。

who's who

カール・メンガー（1840～1921年）

オーストリア学派の経済学者。ジェヴォンズ、ワルラスらとともに「限界効用理論」（☞P.109、259）を提唱した、近代経済学の創始者。主著に『国民経済学原理』。

Chapter 2

国際経済
身近な経済用語②

経済のグローバル化

経済のグローバリゼーション

　今日の世界は、貿易や、国を越えた投資が活発におこなわれ、お金や労働力も自由に移動できます。それによって、各国がそれぞれの得意分野で重点的な経済活動をおこなう**国際分業**（☞P.274）が進み、お互いに経済成長をすることが可能になっているのです。

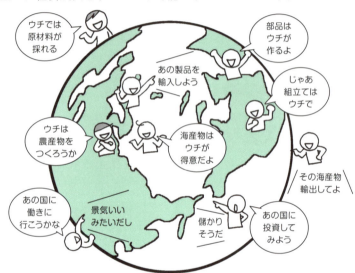

　このような「**経済のグローバル化**」が進んだ理由は、1つには1990年代初めに東西冷戦が終わり、世界の国々が一部の例外を除いて**市場経済**（☞P.87）に移行したこと、そしてコンピュータやインターネットなどの情報通信技術の進歩と普及があげられます。

G7　Group of 7、先進7ヵ国財務大臣・中央銀行総裁会議

一方で、経済のグローバル化は、世界にさまざまな問題を引き起こします。そのため「**G7　先進7ヵ国財務大臣・中央銀行総裁会議**」が定期的に開催され、世界経済の諸問題を話し合っています。**G7サミット（首脳会議）**だけがG7ではありません。

G20　Group of 20、20ヵ国財務大臣・中央銀行総裁会議

経済のグローバル化のおかげもあり、世界には経済成長の著しい新興国が多数あらわれています。G7に、それらの新興国とロシア、EUなどを加えた会議が「**G20**」です。G20は世界のGDPの8割以上、貿易総額は世界の7割以上を占めるといわれます。

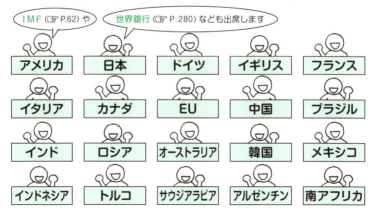

貿易

輸出入

　世界の経済は「**貿易**」がつないでいます。国と国の間で商品やサービスを売買する取引は、経済のグローバル化の基礎であり、各国の**Ｇ
ＤＰ**（☞P.26）にも大きな影響を与えます。2017年からの米国トランプ政権下で保護貿易の動きが進んだことは記憶に新しいところです。

　貿易は、**外国為替相場**（☞P.65）から大きな影響を受けます。それを避けて、通貨統合を果たしたのが**ユーロ圏**（☞P.72）です。ユーロ圏のような経済統合のほかにも、**ＦＴＡやＥＰＡ**（☞P.69、P.70）をめざす動きなどが世界にはいくつかあります。

比較優位の原理

比較優位、比較優位の原則

貿易について、経済学では「**比較優位**」という考え方をします。価格など**絶対優位**（☞P.280）の面を見るのでなく、自国が最も得意とするモノ、比較優位にあるモノを輸出し、そうでないモノは輸入するほうが、利益が大きいということです。

たとえば、A国とB国でオレンジとリンゴ各1個を作るのに、円換算で次の費用がかかるとする。

これだけ見ると、A国はB国からどちらも輸入せず、B国はどちらも国内生産せず、A国から輸入するのがトクに見えます。でも……。

A国はB国にオレンジ1個を輸出したところ、B国ではオレンジの2分の1の費用でリンゴが作れることがわかった。そこでオレンジを輸出した代金で、B国にリンゴを作ってもらい、輸入してみると…。

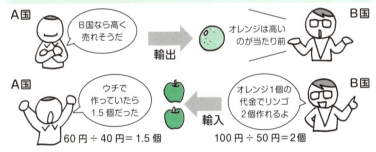

B国はリンゴ2個を輸出した代金で、A国にオレンジを作ってもらい、輸入した。

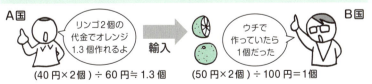

このように、比較優位のモノを輸出し合うと、お互いがトクをします。この原理を唱えたのは、**デビッド・リカード**（☞P.222）です。

保護貿易　保護主義

　比較優位の原理で貿易をすると、国全体ではお互いにトクをしますが、たとえばB国のオレンジ農家など、海外商品の輸入が不利益になる人々もいます。そこで自国の産業を守るために、国が貿易に制限を加えるのが「**保護貿易**」です。たんに「**保護主義**」ともいいます。

自由貿易

　保護貿易とは逆に、関税などの制限をなくして自由に貿易をおこなうのが「**自由貿易**」です。歴史的には19世紀の**重商主義**（☞P.254）による保護貿易に対して、**アダム・スミス**（☞P.88）たちによって提唱されました。影響を受ける産業からは当然、反対の声があがります。

WTO World Trade Organization、世界貿易機関

　自由貿易の推進を主な目的として、1995年に設立されたのが「WTO」です。2024年現在、164の国と地域が加盟しています。

　WTO協定では、自由貿易協定など貿易に関するさまざまなルールを定め、貿易交渉の場の提供や、貿易紛争の処理にあたっています。

USMCA 米国・メキシコ・カナダ協定

　自由貿易から保護貿易に回帰するケースもあります。アメリカ、メキシコ、カナダの3ヵ国による「USMCA」もその1つです。

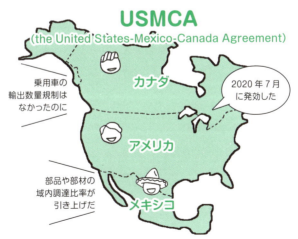

　それまでのNAFTA（北米自由貿易協定）から「自由貿易」の文言が外され、保護貿易の色彩が濃い協定になったといわれます。

貿易収支

　アメリカで保護主義を主張する人々が拠りどころとするのが「**貿易収支**」です。これは輸入額と輸出額の差で、輸出入の全体を見る場合と、相手の国ごとに見る場合があります。日本では財務省が毎月発表している貿易統計で知ることが可能です。

貿易赤字と貿易黒字

　貿易収支がマイナスなのが「**貿易赤字**」で、プラスが「**貿易黒字**」です。貿易赤字が増えると、自国通貨が下落（アメリカならドル安）する傾向になる、ＧＤＰも減少するなど、さまざまな影響があらわれます。貿易黒字だと、その逆に自国通貨高、ＧＤＰ増加の傾向です。

経常収支

　もっとも、国と国の間でやりとりされるのは、モノの貿易だけではありません。サービス取引なども計算に入れたのが「**経常収支**」で、下図の4つから構成されています。日本では、財務省が毎月発表する国際収支統計で、経常収支を知ることが可能です。

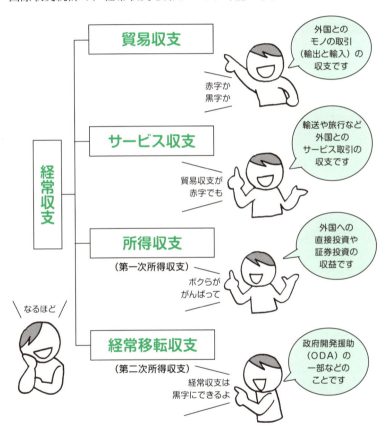

　アメリカは2000年以降、経常収支の赤字が拡大しています。日本も近年は貿易収支の赤字が拡大し、経常収支も減少傾向にありますが、2023年には黒字幅が倍増して2年ぶりに20兆円台を回復しました。これは貿易収支の赤字幅が縮小したことによるものです。

国際収支

　国と国との間では、資本取引がおこなわれることもあります。これは、経常収支には含まれていません。そこで、資本取引の収支も含めるのが「国際収支」です。国際収支は、前項の「経常収支」と、資本取引の収支を示す「資本収支」から構成されています。

資本収支

　「資本収支」は、国際収支のうち、投資や借入れなどにより、資本が流出したり、流入したりした分の収支です。日本から資本が流出した場合はマイナスとなり、海外から資本が流入した場合はプラスとなって、合計がマイナスなら資本収支が赤字、プラスなら黒字となります。

金融収支

　国際収支が黒字になったり、赤字になったりした分は、どこに行くのでしょうか。それを示すのが「**金融収支**」です。対外金融資産や負債の増減のことで、対外投資の増減や、外貨準備の増減から構成されています。

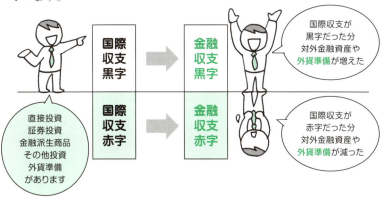

外貨準備　外貨準備高

　中央銀行や政府が**為替介入**（☞P.67）などをおこなうために、準備している資産が「**外貨準備**」です。**通貨危機**（☞P.281）などで対外債務の返済ができなくなったときにも使います。日本の外貨準備はほとんどが外国の証券、とくにアメリカ財務省証券（アメリカ国債）です。

デフォルト　債務不履行

　外貨準備によって対外債務の返済ができなくなることを「**デフォルト**」といいます。債券の利払いや償還が、約束どおりにおこなわれないことを意味する用語ですが、国の債務が返済されないときにも使います。よくあることではありませんが、特別に珍しいことでもありません。

IMF　International Money Fund、国際通貨基金

　対外債務の支払いが困難な国に対して、融資をしてくれる国際機関が「IMF」です。2024年現在、190の国と地域が加盟しています。

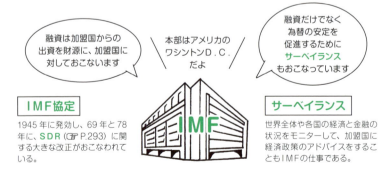

IMF協定
1945年に発効し、69年と78年に、SDR（☞P.293）に関する大きな改正がおこなわれている。

サーベイランス
世界全体や各国の経済と金融の状況をモニターして、加盟国に経済政策のアドバイスをすることもIMFの仕事である。

　ちなみに2015年にギリシャが起こしたデフォルトは、IMFから受けた15億ユーロの融資が期限までに返済できずに起こりました。

国際通貨 決済通貨、国際決済通貨、ハードカレンシー

「国際通貨」は国際通貨基金の通貨、ではなく、国際的に通用する通貨のことです。充分な信用があり、どこでもその国の通貨と交換してもらえ、決済に利用できることが条件になります。ただし明確な定義はないので、どれを国際通貨とするかは人によって異なるでしょう。

基軸通貨 基準通貨、準備通貨、キーカレンシー

国際通貨のうちでも、中心的な存在の通貨が「基軸通貨」です。為替などの基準としても使われるので「基準通貨」、各国が外貨準備（☞P.61）として保有するので「準備通貨」ともいいます。ドルは間違いなく基軸通貨ですが、ユーロは意見が分かれるところでしょう。

外国為替市場

為替市場、外為（がいため）市場

通貨の交換は見方を変えると、ある通貨で別の通貨を買う取引ともいえます。この取引をおこなう市場が「**外国為替市場**」です。外国為替市場は世界中にあり、地球の自転に応じて次々にオープンしてはクローズしています。ですから外国為替は24時間、取引可能なのです。

市場といっても、外国為替には取引所がありません。外国為替市場は、電話やコンピュータ・ネットワークで構成される抽象的な市場なのです。よくテレビのニュースなどで流れる、円卓を囲んだ人たちの映像は、取引を仲介する「**外為ブローカー**」という会社の社員です。

外国為替相場

為替相場、為替レート

　外国為替市場は市場ですから、需要と供給の関係で価格が変動します。これが「**外国為替相場**」です。外国為替は1対1の取引なので、売り買いの価格が折り合わないと取引は成立しません。成立しなかったときは、成立した取引価格や傾向を見て注文を調整し、注文を出し直すことになります。ここで相場が調整されているわけです。

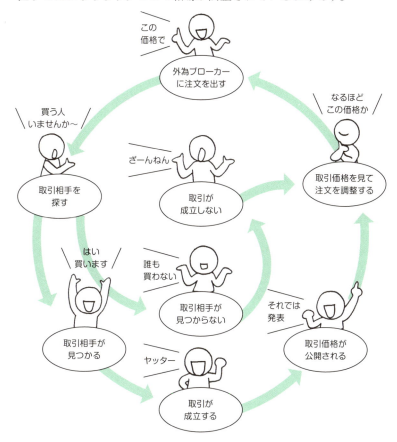

　そして取引が成立すると、外為ブローカーや報道機関によって、成立した取引価格がただちに公開されます。このような繰り返しによって、外国為替相場は時々刻々、形成されているのです。

変動相場制 変動為替相場、変動レート制度、フロート制

「**変動相場制**」は、今日の日本のように、為替市場の需要と供給にまかせて為替相場が変動する制度です。もっとも、変動相場制をとる国でも、急激な為替の変動に対しては**為替介入**（☞次項）などをおこなうので、完全に市場にまかせる変動相場とはいえません。

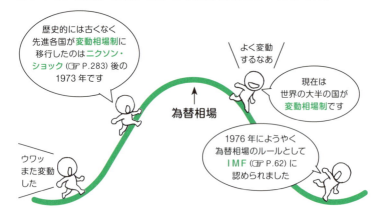

固定相場制 固定為替相場、固定レート制度

一方、政策的に為替相場を一定の水準に固定するのが「**固定相場制**」です。為替相場を固定する方法としては、為替介入などにより変動を一定の幅に収める方法と、資金の移動を制限する為替管理政策をとる方法があります。

為替介入　外国為替市場介入、外国為替平衡操作

　為替相場が急激に変動するとき、その変動を抑えて相場の安定を図るために、国の通貨当局が売買に参加することがあります。これを「**為替介入**」といいます。たとえば、円高なら円を売り、円安なら円を買うことで変動を抑えるわけです。通常は民間が取引している為替に、政府が介入することになります。

ファンダメンタルズ　経済の基礎的条件

　結局、為替相場を決める要因は何なのでしょうか。短期的には為替介入などでも変動しますが、中長期的な決定要因とされるのが、**経済成長率**や**国際収支**の水準などです。これらの経済指標全般を指して「**ファンダメンタルズ**」と呼びます。

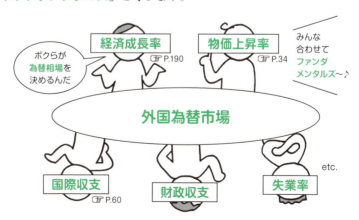

経済統合

経済一体化

　自由貿易協定（ＦＴＡ、☞次項）による市場の統合、ユーロのような通貨統合など、世界にはさまざまな段階で経済を統合しようとする動きがあります。これを総称して「**経済統合**」または「経済一体化」といいます。最も基本的な経済統合が自由貿易協定です。日本政府は「**経済連携**」「経済連携協定」「**ＥＰＡ**、☞P.70）と呼んでいますが、2023年12月時点で下のような国・地域とＥＰＡを締結しています。日英のような２国間協定のほか、日ASEANのような地域との協定、CPTPPやRCEP（☞P.71）のような多国間協定があります。

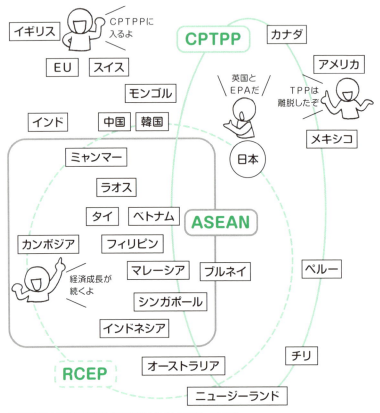

経済産業省「通商白書2023年版（2023年3月現在）」より作成

FTA

Free Trade Agreement (Area)、自由貿易協定

　関税や関税以外の貿易障壁をなくして、国同士の経済関係の強化をめざす協定が「**FTA**」です。当初は関税やサービスの貿易自由化が中心でしたが、近年、締結されるＦＴＡは投資や知的財産権など一段と幅広い分野をカバーするようになっています。

※アメリカとシンガポールのFTAは2004年に発効

　世界では500以上のＦＴＡが締結されており、２国間のＦＴＡだけでなく、数ヵ国による地域ＦＴＡもあります。たとえば「**AFTA**（アフタ、ＡＳＥＡＮ自由貿易地域）」は、地域内の関税がほぼゼロという典型的な地域ＦＴＡです。

EPA

Economic Partnership Agreement、経済連携協定

　貿易の自由化に加え、投資や知的財産の保護などもカバーして、より広い経済関係の強化をめざす協定を、ＦＴＡとは区別して「ＥＰＡ」と呼ぶことがあります。両者は実態としてほぼ同じですが、日本政府が推進するのはＥＰＡのほうです。

　日本が初めて締結したＥＰＡは、2002年に発効した「日・シンガポールＥＰＡ」。その後、各地と締結を進め、2024年2月時点では21のＥＰＡが発効しています。「日・ＥＵ」や「日・英」のＥＰＡも発効し、ＥＵ産のチーズやワインなどが関税の分だけ安くなりました。

※日本初のEPAは2002年に発効した日・シンガポールEPA

CPTPP

環太平洋パートナーシップに関する包括的及び先進的な協定

　日本が関わる代表的なＥＰＡの１つが「**CPTPP**」です。それまで行われていたＴＰＰの枠組みからアメリカが離脱したことを受け、2018年に68ページの図の11ヵ国により署名されました。2024年にはイギリスも加盟し、中国や台湾も加盟を申請しています。

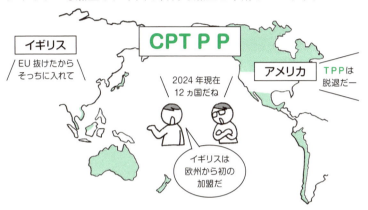

RCEP

地域的な包括的経済連携協定

　もう１つ、日本が関わるＥＰＡが「ＲＣＥＰ（アールセップ）」。ＡＳＥＡＮと日中韓、オーストラリア、ニュージーランドの15ヵ国が参加し、2023年までに順次発効しました。世界のＧＤＰ、貿易総額、人口の約３割を占める大型協定です。

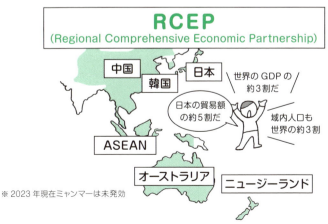

ユーロ圏

ユーロゾーン、ユーロエリア

　FTAやEPAなどの経済統合を超えて、通貨統合までおこなおうというのが**EU**（**欧州連合**）です。ただし、まだ通貨ユーロを導入していないEU加盟国もあるため、すでにユーロを導入した国々の経済圏は、EUとは別に「**ユーロ圏**」などと呼ばれます。

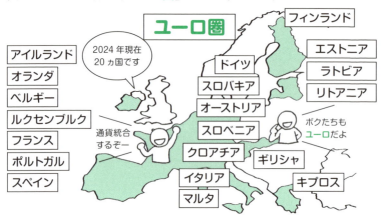

　通貨統合により、ユーロ圏内の経済活動は導入前より活発になりました。しかし、圏内の為替相場は事実上、固定されることになります。

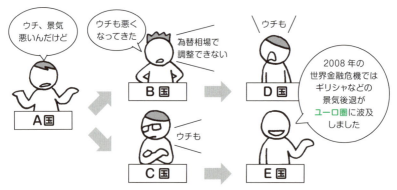

　こうしたデメリットを避けて、通貨統合まではせずに、経済圏をつくろうとする**AEC**（☞P.289）のような経済共同体もあります。

BRICS

今後、大きな経済発展が見込まれる新興国の代表が「**BRICS**」です。条約や本部はなく、共通の利益を追求する緩やかな連合体です。2024年からはサウジアラビアなど5ヵ国が新たに加盟し（拡大BRICS）、世界人口の半分近く、世界のGDPの約3分の1を占めます。

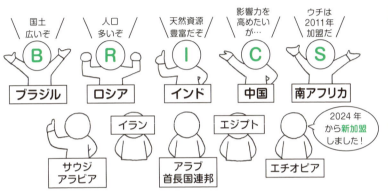

グローバル・サウス

南半球に多いアジア・アフリカ・中南米地域の新興国・途上国の総称が「**グローバル・サウス**」。先進国の多い北半球に対して「サウス」と呼ばれます。高い経済成長が注目され、欧米、中国、ロシアとは一定の距離をとりつつ独自外交を展開するなど存在感を増しています。

AIIB　アジアインフラ投資銀行

　各国の経済協力と、経済発展を支援する国際金融機関もあります。アジアでは2013年、中国が主導して「AIIB」が設立されました。創設時のメンバーは欧州の先進国も含む57ヵ国、2024年にはADBを超える109の国と地域に拡大しています。

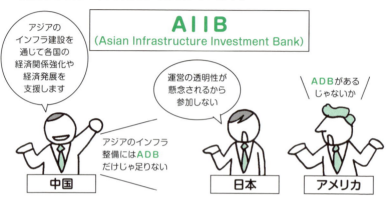

ADB　Asian Development Bank、アジア開発銀行

　AIIB設立前、1966年に日本の主導で設立された国際金融機関が「ADB」です。これまで、開発途上の加盟国に対する資金の貸付け、投資、開発プロジェクトに対する技術支援やアドバイスなどをおこなっています。

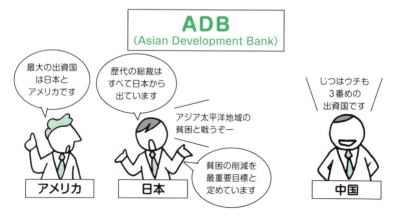

フィンテック

FinTech

　金融界の新しい動きが「**フィンテック**」です。フィンはファイナンスの Fin、テックはテクノロジーの Tech、直訳すれば「金融の技術」ですが、この場合の技術は主に情報技術、すなわちＩＴ（インフォメーション・テクノロジー）をさします。

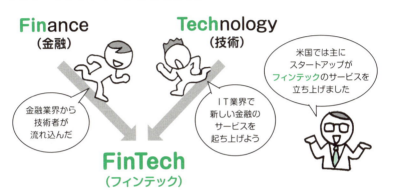

　フィンテックのサービスの多くは、既存の金融機関にはなかったものです。とくにスマートフォンのアプリとインターネットを駆使して、いつでもどこでも利用できる環境をつくり出し、ＩＴによる快適な操作性を提供しているところは、フィンテックならではといえます。

DX デジタル・トランスフォーメーション

「DX（Digital Transformation）」とは、企業がデジタル技術とデータを活用してビジネス環境の変化に対応し、製品やサービス、ビジネスモデルなどを変革することで競争力を高めていくことです。「ＩＴ化」との違いは次のとおり。

生成AI

「生成ＡＩ（Artificial Intelligence）」とは、様々なコンテンツをつくり出すＡＩ（人工知能）です。文章作成や会話ができるChatGPT（OpenAI社）が有名ですが、テキスト以外にも音声、画像、動画などそれぞれ専門のＡＩがあり業務への活用が進んでいます。

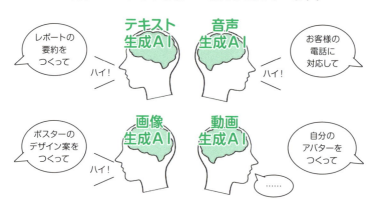

デジタル通貨

現金ではなく電子化されたお金が「**デジタル通貨**」。電子マネーや暗号資産（⇒次項）に加えて、将来発行が検討されているのが各国の中央銀行が法定通貨として発行する「**中央銀行デジタル通貨**」。日本でも**デジタル円**の可能性に向けて実証実験を進めています。

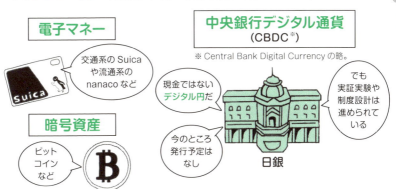

暗号資産　仮想通貨

「**暗号資産**」はブロックチェーンという技術を使ったネットワーク上の"通貨"。円などの法定通貨とは異なり、暗号化された、あくまでも「財産的な価値」です。同じデジタル通貨でも法定通貨を使って決済を行う電子マネーとは性質が違います。決済手段というよりも金融商品として価格上昇を狙った投機対象となっているのが現状です。

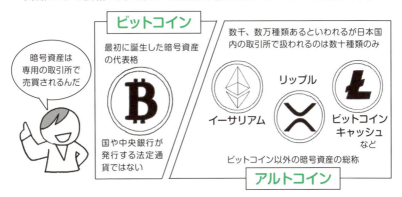

サブスクリプション　サブスク

　近年広がりを見せる新しいビジネスモデルが「**サブスクリプション**」。定額で一定期間、「〇〇放題」のサービスを提供します。音楽や動画の配信のほか、服やバッグのレンタル、飲食店の利用など様々な分野で採用されています。通常の販売と比べたメリットは次のとおり。

クラウドファンディング

　事業やプロジェクトの遂行に必要な資金を調達する新たな手法が「**クラウドファンディング**」。インターネットを通じて不特定多数の人々から金銭的な支援や投資を募る仕組みです。寄付型、投資型などいくつかのタイプがあります。

カーボンニュートラル　脱炭素化

「**カーボンニュートラル**」とは温室効果ガスの排出量と森林などによる吸収量・除去量を差し引きゼロにすること。2050年までの実現に向けて国際的な合意がされています。ただの環境対策ではなく、社会経済、産業構造に変革を促し、新たな経済成長に向けた取り組みです。

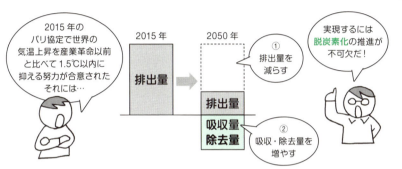

サステナビリティ　持続可能性

　経済や社会の発展、環境保護などに配慮して、世界全体を将来も持続的に発展させていく考え方や取り組みが「**サステナビリティ**」。「**持続可能性**」と訳されます。サステナビリティを具体化するものとして、持続可能な開発目標に関する具体的な指針を定めたものが「**SDGs**※」。

※エス・ディー・ジーズはSustainable Development Goalsの略称。

1分でチェック！ この章の**ポイント**

- [ ] 世界の経済は貿易がつないでいる。貿易について経済学では**比較優位**という考え方がある。国家間で比較優位のモノを輸出し合うことで互いにトクをする。

- [ ] 輸出額と輸入額の差を、**貿易収支**という。これがマイナスの場合は**貿易赤字**、プラスなら**貿易黒字**。

- [ ] 貿易収支のほかにサービス取引なども含むのが、**経常収支**。これに資本収支を加えたものを、**国際収支**という。

- [ ] 国際的に通用する通貨（**ハードカレンシー**）のうち、各国が外貨準備として保有するなど中心的な存在であるのが、**基軸通貨（キーカレンシー）**。

- [ ] 通貨の取引をおこなう市場が、**外国為替市場**。外国為替相場は時々刻々、変動する。

- [ ] 世界経済は、**自由貿易協定（ＦＴＡ）**や**経済連携協定（ＥＰＡ）**などにより、国家間での経済関係強化が進んでいる。**ＡＦＴＡ**（アセアン 10 ヵ国）や**ＣＰＴＰＰ**（日本を含む 11 ヵ国）などがその代表。

- [ ] 世界経済は技術の進歩や、地球環境の変化の影響も受けている。**ＤＸ＝デジタル・トランスフォーメーション**や、**生成ＡＩ**の技術の影響を受け、環境分野では脱炭素化やサステナビリティの必要性が叫ばれている。

- [ ] とくに金融の分野では、**フィンテック**、**デジタル通貨**、**暗号資産**などの技術とサービスの進化がいちじるしい。

---

who's who

ヴィルフレド・パレート（1848 ～ 1923 年）

イタリアの経済学者。**レオン・ワルラス**（☞ P.266）の均衡理論をもとに「パレート最適」の概念を提唱した。

Chapter 3
経済学の基本用語

経済

「経済」という用語は、日本の幕末期に英語「economy」の訳語として生まれました。経済を研究する学問「economics」は「経済学」と訳され、「経済的」(economical、economy) というと、お徳用、低価格の意味になるところも同じです。

「経済」という用語が、中国の古典に出てくる「経世済民」の略であることを、ご存知の方もいるでしょう。もとは「世を経（おさ）め民を済（すく）う」の意味でしたが、今日ではその意味は失われています。ちなみに、現代中国でも現在の「経済」の意味が通じるそうです。

財とサービス

経済は、私たちの生活を成り立たせています。私たちの生活のためには、何が必要でしょうか。必要なもののうち、形があるものを「**財**」といい、形がないものを「**サービス**」といいます。経済では、お互いが必要な「**財とサービス**」をやりとりしているのです。

経済活動

財とサービスは、どうやってやりとりされるのでしょう。現代の経済では、ほとんどの場合、お金と交換することになります。これが「**経済活動**」です。経済活動は、個人だけでなく、企業や政府などの組織もおこなっています。

経済主体

　経済活動をおこなう単位を、経済学では「**経済主体**」と呼びます。経済主体にはどんなものがあるでしょうか。いろいろな見方がありますが、代表的なのは「**家計**」（☞P.108）、「**企業**」（☞P.116）、「**政府**」（☞P.213）の３つを、経済主体とする分類です。

　そこで、家計、企業、政府の３つの経済主体の関係を見てみると、下図のようになります。たとえば家計は、企業と政府に労働力を提供して、交換で賃金を受け取り、政府には税金、企業には代金を支払っているわけです。これが**経済の全体像**といっていいでしょう。

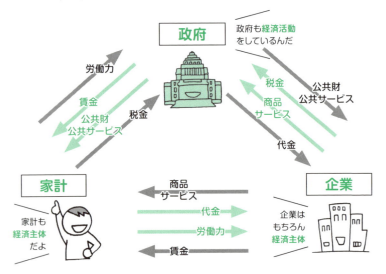

84

生産

それぞれの経済主体は、どんな経済活動をおこなっているのでしょうか。財やサービスをお金と交換するためには、まず財やサービスをつくり出さなければなりません。すなわち「生産」です。経済学では、生産によって付加価値（☞ P.172）が生み出されると考えます。

分配

第2の経済活動は、生み出された付加価値を分ける（分配する）ことです。3つの生産要素の、それぞれの持ち主に「分配」します。つまり、株主に配当を払ったり、社員に給料を払ったり、地主に地代を払ったり、付加価値を具体的な「所得」として分配するわけです。

支出

　分配された「所得」を、消費や貯蓄、投資などに回すのが、第3の経済活動の「**支出**」です。この支出が次の生産を呼び起こします。以上の3つの経済活動ごとに、**国内総生産、国内総分配、国内総支出**を算出すると、**3つの金額は等しくなる**という原則があります（☞ P.181）。

交換

　こうした経済活動で重要になるのが「**交換**」です。分配を受けた所得で、必要な財やサービスを入手できるのも、生産した財やサービスで分配するための所得を入手できるのも、交換ができるからにほかなりません。その交換をおこなうのが「**市場**」です。（次項に続く…）

市場経済

資本主義市場経済

　経済学では、財やサービスと、お金を交換する場を「**市場**（しじょう）」（☞ P.130）と呼びます。ようするに、財やサービスを売買する場、ということです。市場では、価格の変化によって、需要と供給が自動的に調整される「**市場メカニズム**」（☞ P.135）が働きます。

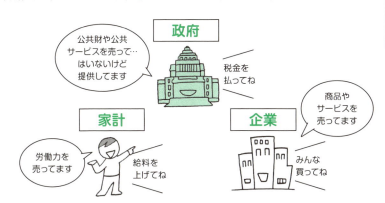

　そこで、需要と供給の調整は市場メカニズムにまかせ、それぞれの経済主体は自由に財とサービスを売買しようという考え方、制度が「**市場経済**」です。反対に、国家が供給や価格をコントロールする「**計画経済**」（☞ P.270）と比べるとわかりやすいでしょう。

経済学

　以上のように、経済主体が、財とサービスを交換しあう経済活動を研究する学問が「**経済学**」です。ですから、小さなところでは消費者1人ひとりの消費行動から、大きなところでは世界の景気変動まで、経済学の対象は多岐に渡ります。

　経済学の歴史では、社会の進歩に応じてさまざまな学説が生まれ、発展してきました。現代の経済学を、とくに「**近代経済学**」と呼ぶことがあります。「近代経済学の父」と呼ばれるのが、あの**アダム・スミス**です。近代経済学は、**ミクロ経済学**と**マクロ経済学**に大別されます。

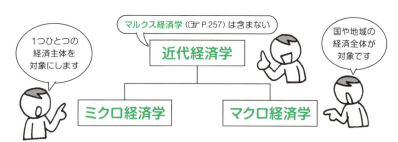

who's who

アダム・スミス（1723～1790年）

スコットランド生まれのイギリスの哲学者、経済学者。著書『国富論』で「**神の見えざる手**」（☞P.138）として、現代の市場メカニズムの基礎となる主張を展開した。

ミクロ経済学

「**ミクロ経済学**」のミクロとは「小さい」という意味。どれくらい小さいかというと、個々の家計、個々の企業の行動を分析することから始めるのです。それを積み上げて、消費者が何を、どれくらい買えば最も満足できるか、企業が何を、どれくらい生産すれば最も儲かるか、といった分析をします。

マクロ経済学

一方、「**マクロ経済学**」のマクロは「大きい」という意味。国や地域、産業全体といった大きなくくりで経済を分析するものです。国全体のＧＤＰや物価、経済成長などのデータを見て、そこから将来の経済の状況を予測したり、それに対する有効な経済政策をおこなう方法を考えたりします。

最適化行動

　経済学には、いくつかの前提があります。その１つが「**最適化行動**」です。「**経済主体は、経済活動の目的に合った最適の行動をとる**」という前提です。ようするに、人も企業も損得を正しく計算して、自分に最も得な行動をとるはずだ、ということを前提にしています。

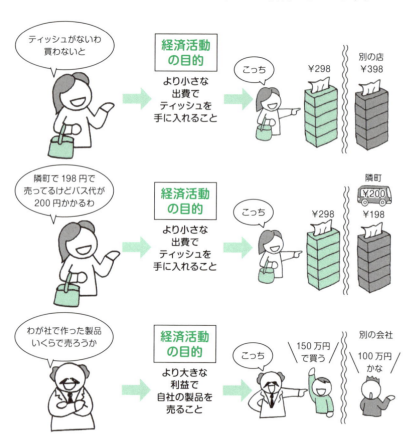

　この前提が成り立たないと、家計の消費行動も企業の生産活動も、うまく説明できなくなります。もちろん、なかには別の理由から、経済的に最適でない行動をする人や企業もあるでしょう。しかし、経済全体で見れば、たいていの経済活動はこの前提で成り立っています。

インセンティブ

　経済学のもう1つの前提は、「**誰かに押し売りされたり、強制的に労働させられたりせず、経済主体が自分で経済活動を決めている**」ということです。この前提が成り立たないと、たとえば消費者の消費行動を調べているのに、別の決定者の意思だったなんてことになります。

　では、経済主体の経済活動を決めているものは何でしょうか。ここで重要なのが「**インセンティブ**」です。「誘因」や「動機づけ」といった意味で、意思決定を変化させるものをいいます。最もわかりやすいインセンティブは価格（☞P.95）ですが、他にもいろいろあります。

希少性

希少性の原理

経済学の重要な考え方の1つに「**希少性**」があります。希少とは、資源や財、サービスが、人間が欲しいと思うだけない、足りない状態のことです。たとえば、空気は、とりあえず全世界の人間が息をできるだけあるので、希少性はないといえますが……。

希少性が重要なのは、経済学の諸問題と、その解決に深く関わるからです。たとえば、人間の生存に必要な水よりも、生存に関係のないダイヤモンドのほうが価格が高いのは、**希少性が高い**からです。**トレード・オフ**（☞P.96）の問題が起こるのも、希少性が関係しています。

価値

「水とダイヤモンドのパラドックス」は、「**価値のパラドックス**」とも呼ばれます。「**価値**」とは、財やサービスの「値打ち」のこと。ようするに、市場で、どれだけのお金や財、サービスと交換できるか、ということ。交換の比率が高いほど、価値が高いことになります。

希少性が高いほど価値が高いとするのは、**古典派経済学**（☞ P.255）の考え方です。価値のパラドックスを解決するために、価値には「**使用価値**」と「**交換価値**」の2つがあるとされました。水がダイヤモンドよりも安いのは、使用価値が高くても交換価値が低いからです。

効用

　一方、近代経済学では、財やサービス自体に価値があるとは考えません。そこで、価値の代わりに「**効用**」という用語を使います。ようするに、**人が感じる満足度**のようなものです。効用があるからこそ、人はお金を払って、財やサービスを手に入れると考えます。

　人が感じるものですから、効用は主観的なものです。そのため、場合によって、効用のあるなしは異なります。ちなみに、なぜ水がダイヤモンドよりも安いのかというパラドックスに対しては、「**限界効用**」（☞P.109）という考え方で説明が可能です。

利潤

　経済主体としての**家計**（☞P.108）は、最も高い満足度＝「**効用の最大化**」を目的として経済活動をおこないますが、**企業**が目的とするのは「**利潤**」です。「儲け、利益」といった意味で、企業は「**利潤の最大化**」（☞P.125）を目的に経済活動をおこなっているのです。

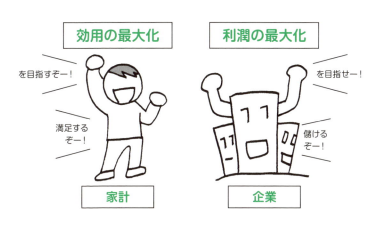

価格

　「**価格**」とは、財やサービスの貨幣価値を示す金額のこと。ですが、じつは**希少性**（☞P.92）をあらわすモノサシでもあります。同じ効用であっても、希少性は生産量が少ないほど、需要が大きいほど高くなりますから、価格もまた高くなるのです。

トレード・オフ

　希少性はまた、「**トレード・オフ**」の問題も引き起こします。これは「二律背反」といった意味で、経済学にとって重要な考え方の1つでもあります。

トレード・オフとは…　何かを選択するために、別の何かをあきらめなければいけない関係。たとえば個人でも…

　企業は本来、消費者のニーズのすべてに応えて商品を提供したいところです。しかし、**生産要素**（☞P.117）にも希少性があるため、何かを提供すると、別の何かの提供をあきらめなければなりません。

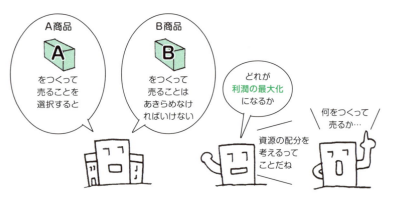

　このように、トレード・オフからは、**資源の最適配分**を考えるという、経済学の重要な目的の1つが生まれているのです。

費用 コスト

　経済活動によって、効用や利潤が得られますが、一方で「**費用**」もかかります。企業の生産はもちろん、家計の消費にも費用はかかるのです。企業では**生産要素**（☞ P.117）に支払う賃金や配当などの損失、家計では消費にともなう損失が費用となります。

機会費用

　ところで経済学では、トレード・オフによってあきらめた効用や利潤も、「費用」であると考えます。もしも選択できていたら得られたはずだから、その分は別の選択をしたことによる損失＝費用だと考えるのです。これを「**機会費用**」といいます。

1分でチェック！ この章のポイント

- [ ] 経済学において、**経済活動**とは、**財とサービス**を、お金と交換すること。

- [ ] 経済活動をおこなう単位を**経済主体**といい、家計、企業、政府の3つに分類される。

- [ ] 経済活動には、**生産**、**分配**、**支出**がある。

- [ ] 財とサービスをお金と交換する場を、**市場**と呼ぶ。市場は価格の変化により需要と供給が自動的に調整される、**市場メカニズム**が働く。

- [ ] 経済学は大きく、**ミクロ経済学**と**マクロ経済学**に分けられる。

- [ ] 経済学には、**最適化行動**や**インセンティブ**といった、いくつかの前提がある。

- [ ] 経済学の重要な考え方の1つが、**希少性**。古典派経済学の考え方では、希少性が高いほど**価値**が高いとされる。

- [ ] 近代経済学では、**効用**（満足度のようなもの）という考え方が重要になる。

- [ ] **家計**は**効用の最大化**を目的として経済活動をおこない、**企業**は**利潤の最大化**を目的とする。

- [ ] 希少性は、何か1つを追求すると、他の何かを犠牲にしなければならないという、**トレード・オフ**の問題を引き起こす。

---

who's who

ウィリアム・スタンレー・ジェヴォンズ（1835～1882年）
イギリスの経済学者。ワルラス、メンガーらと同時期に、主著『経済学理論』で「限界効用理論」を展開した。また景気循環に関する「太陽黒点説」の提唱者としても知られる。

Chapter 4

家計・企業
ミクロ経済学の用語①

限界

margin、限界概念

　ミクロ経済学の話に入る前に、知っておきたい用語があります。それが「限界」です。経済学でいう「限界」とは、リミットのことではなくて、簡単にいうと増加分や増加率のことをいいます。たとえば、効用の増加分を「限界効用」（☞ P.109）というように使います。

　それがどうした、と思うかもしれませんが、経済学の歴史では画期的なことでした。限界の考え方と、それに効用（☞ P.94）の考え方が登場した1870年代は「限界革命」（☞ P.259）と呼ばれ、近代経済学はここから始まったといわれます。

需要

　もう1つ、あらかじめ押さえておきたいのが、「需要」「供給」と価格（☞P.95）の関係です。一般的に、「需要」が増えると価格は上がり、減ると下がります。しかし、需要も価格の影響を受けるものです。価格が上がると需要は減り、下がると増えることになるでしょう。

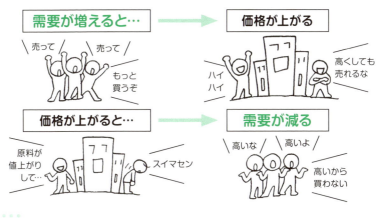

供給

　一方、「供給」は、減ると価格が上がり、増えると下がる関係にあります。しかし、供給も価格の影響を受けるので、価格が下がると供給は減り、上がると増えるのが一般的です。このように、需要、供給と価格は、互いに影響を受けあっているのです。

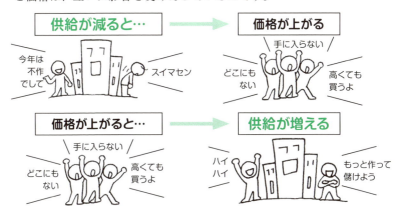

需要曲線

このような需要、供給と、価格の関係をグラフであらわすのが「**需要曲線**」「**供給曲線**」です。**需要曲線は価格が上がるほど需要が減り、下がるほど増える**ことを示します。需要曲線が一般に直線でなく、曲線になるのは、**限界効用**（☞P.109）が直線的に変化しないからです。

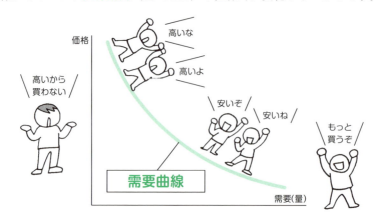

需要曲線は、価格以外の条件でも変化します。たとえば、自由に使えるお金が増えると、価格が同じでも以前よりも多く買えるようになるでしょう。すると、需要曲線は右上に押し上げられた形になります。これは「**需要曲線のシフト**」と呼ばれる現象です。

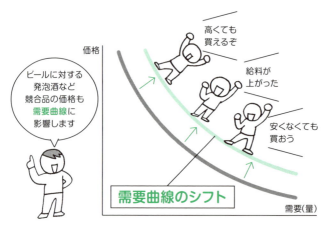

供給曲線

需要曲線に対して、供給と価格の関係をあらわすのが「**供給曲線**」です。つまり、**価格が下がるほど供給が減り、上がるほど増える**ことを示しています。一般的には**限界費用**（☞ P.121）もまた、直線的に変化しないため、供給曲線も直線でなく曲線です。

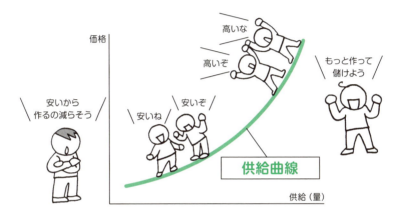

価格以外の条件で、供給曲線に影響を与えるものには、たとえば**生産コスト**があります。人件費などの生産コストが増えると、価格が同じだと以前よりも生産者の利益が減ります。すると、価格は高く、供給は減る「**供給曲線のシフト**」が起こるのです。

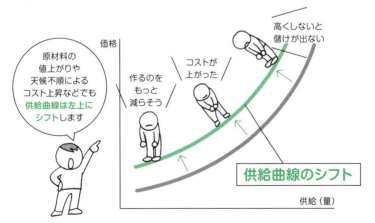

需給均衡

均衡点、競争均衡

　需要曲線と供給曲線から、市場で価格と取引量が安定するしくみがわかります。需要曲線と供給曲線を重ねると、交わったところで安定するのです。この交点を「**均衡点**」といい、そのときの価格は「**均衡価格**」、需要と供給の量は「**均衡取引量**」といいます。

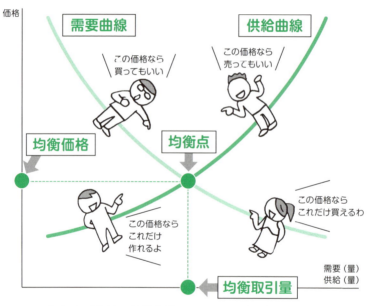

　このような需要曲線、供給曲線のグラフの形を確立したのが、**アルフレッド・マーシャル**です。価格を縦軸にとる形は、マーシャル以来の経済学の伝統として現在でも守られています。

who's who

アルフレッド・マーシャル（1842〜1924年）

イギリスの経済学者。主著『経済学原理』で需要と供給の価格決定について最初に取り上げた。**ケインズ**（☞P.194）や、**ピグー**（☞P.128、164）を育てた先生としても知られる。

超過需要

　もしも、市場での価格が均衡点より低かったら、どうなるでしょうか。下図でわかるように、需要は増える一方で、供給は減るはずです。そうすると、供給と需要が均衡しなくなり、供給より需要が多くなります。両者の差が「**超過需要**」で、その反対が「**超過供給**」です。

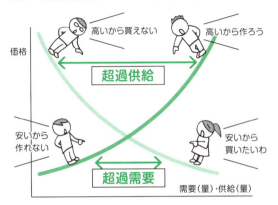

超過供給

　価格が均衡点より高いと「**超過供給**」になります。超過供給のときは、需要と供給が均衡するまで価格が下がるものです。反対に、超過需要のときは、需要が均衡するまで価格が上がります。このように、需給が均衡するように調整をおこなうのが**価格**です（☞ P.95）。

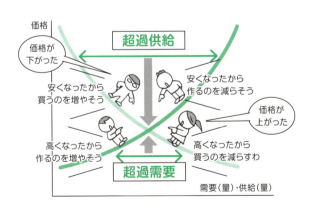

需要の弾力性

需要の価格弾力性

　需要と供給には、「弾力性」というものが考えられます。価格の上昇、下落に対して、どれだけ需給が敏感に反応するか、ということです。価格が1％上昇したときに、需要が何％減少するかを示したものを、「需要の弾力性」といいます。

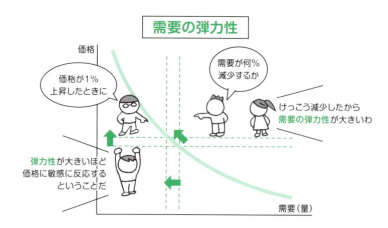

　弾力性は、曲線の傾きにあらわれます。弾力性が小さい曲線は、傾きが急になるのです。このような曲線は「非弾力的な需要曲線」などと呼びます。需要が弾力的な（弾力性の大きな）ものの典型は贅沢品など、非弾力的な（弾力性の小さな）商品の代表は生活必需品などです。

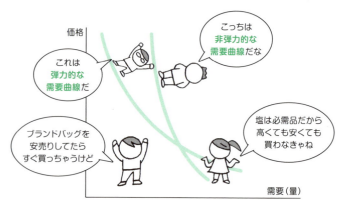

供給の弾力性

供給の価格弾力性

「**供給の弾力性**」も、考え方は需要の弾力性と同じです。価格が1％上昇したときに、供給が何％増加するかを見ます。弾力的な供給曲線と、非弾力的な供給曲線がある点も同じです。弾力的な供給曲線ほど、価格の上昇に対して敏感に、供給が増加します。

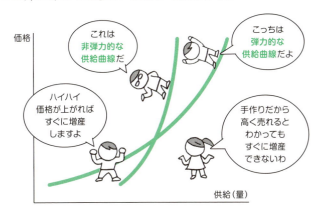

しかし、短期的には非弾力的な供給になっても、長期的に見ると弾力的な供給になることもあります。企業が生産能力を増強するなどして、需要に追いつくことがあるからです。非弾力的な需要も、長期的に見ると弾力的な需要になっていることがあります。

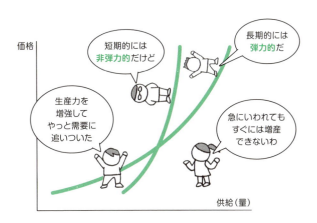

家計

　ミクロ経済学の話を続けましょう。経済活動をおこなう**経済主体**（☞P.84）の1つに「**家計**」があります。通常は個人でなく、生計を一にする世帯が、家計の単位です。家計は、企業や政府に労働力を提供し、賃金を受け取ります。貯めたお金を資本として供給したり、持っている土地を供給したりもしますが（☞P.117）、最も重要な役割は、需要の最小単位として、財やサービスの購入、消費をおこなうことです。

　家計は、限られた所得の範囲内で、家計の**効用**（☞P.94）が最大になるように、財やサービスを「**需要する**」ものとされています。

限界効用

効用の最大化を考えるときに重要なのが「**限界効用**」です。限界効用とは、消費の増加分と、効用（満足度）の増加分の比率をいいます。

しかし、2杯め、3杯めのビールも、同じだけウマイとは限りません。限界効用は「**逓減する＝だんだん減る**」のです。

限界効用逓減の法則　ゴッセンの第1法則

限界効用が逓減するため、ビールだけを消費することが**効用の最大化**にはなりません。ある時点からは効用がほとんど増えないからです。

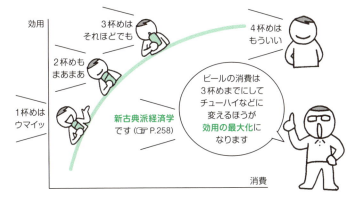

水よりもダイヤモンドが高いのも、水が充分にある環境では限界効用が小さいからです（☞P.94）。価格は希少性と限界効用で決まります。

所得効果

財やサービスの価格も、家計の消費行動に影響します。たとえば、価格が下がるのは、実質的に所得が増えるのと同じことです。当然、家計は消費を増やそうとするでしょう。このように、価格の変化が実質的な所得の変化を通して、消費に与える効果が「所得効果」です。

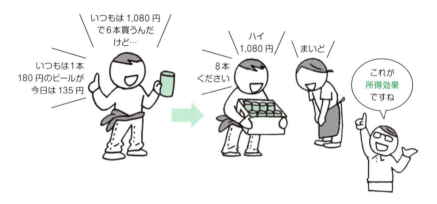

では、逆に価格が上がったらどうでしょう。その財やサービスの消費量を変えたくないときは、別の財やサービスの消費を減らすしかありません。このように、価格の上昇で実質的な所得が減り、他の財やサービスの消費を減らすのも、所得効果のうちです。

代替効果

　一方、財やサービスの価格が上がったときに、別の財やサービスに代えて同じ効用を得ようとする消費行動もあります。この場合、実質的な所得は変わらないので、所得効果ではありません。代わりの財やサービスに代えるので「**代替効果**」といいます。

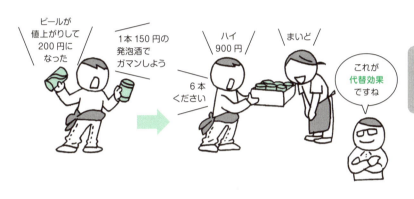

　また、別の財やサービスの価格が変わらない場合、価格が上がった財やサービスに比べて、相対的に価格が安く感じられ、消費を増やすこともあります。このように、高くなった財やサービスの消費を減らし、相対的に安くなったものの消費を増やすのも代替効果です。

正常財　上級財

通常の財やサービスは、所得効果と代替効果によって、価格が下がると需要曲線にそって需要が増えます。

このような財やサービスを「正常財」とか「上級財」と呼びます。なぜ、わざわざそう呼ぶのかというと……。

劣等財　下級財

なかには、価格が下がると需要が減る、財やサービスがあります。「劣等財」、あるいは「下級財」と呼ばれるものです。

このように劣等財（ここでは発泡酒）の場合は、代替効果で需要が増えますが、所得効果では需要が減るのです。

代替財

　財やサービスの需要は、他の財やサービスの価格の影響を受けます。とくに、よく似た性質の別の財やサービスがあると、影響が大きくなるものです。たとえば、リンゴとミカン。両方とも果物という食品で、出回る季節も重なります。そうすると、何が起こるかというと……。

クロスの代替効果

　上のように、一方の価格の上昇が、もう一方への代替需要を引き起こし、一方の需要を減らすような関係があるとき、2つの財を「**代替財**」といいます。そして、他の財の価格の変化により起こる代替効果を、とくに「**クロスの代替効果**」と呼ぶのです。

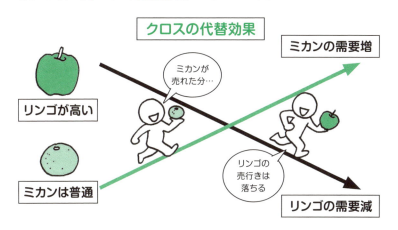

補完財

　一方、他の財やサービスの需要が増えると、つられて需要が増える財やサービスもあります。たとえば、カレーと福神漬。このように、安売りなど、一方の需要の変化で、もう一方の需要も同じ方向に変化する関係があるとき、2つの財を「**補完財**」といいます。

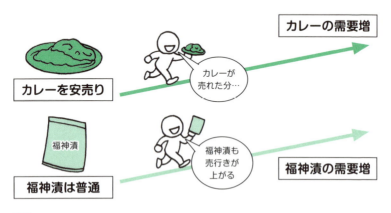

全部効果　全効果、価格効果

　所得効果と代替効果を総計したものを「**全部効果**」とか「**価格効果**」と呼びます。たとえば価格が下がると、通常は正常財でも劣等財でも全部効果で需要が増えます。しかし劣等財の場合は、所得効果が代替効果より強いときに、価格が下がって需要が減ることがあります。

ギッフェン財

ギッフェン・パラドックス

　価格が上がっているのに需要が増える、価格が下がったら需要が減る、そのような財を「**ギッフェン財**」と呼びます。これを発見したイギリスの経済学者、**ロバート・ギッフェン**にちなんだ用語です。ギッフェンが研究した19世紀アイルランドでの、ジャガイモ飢饉の際の価格と需要の変化は、次のようなものでした。

そして飢饉が終わり、人々は再びパンや肉を買えるようになります。

　このように劣等財では、所得効果が代替効果より強いと、通常とは逆の、価格と需要の関係になります。これがギッフェン財です。

企業

　ミクロ経済学にとって、もう1つ重要な**経済主体**（☞P.84）が「**企業**」です。企業は、家計の労働者を雇用し、資本などの生産要素を投入して、財やサービスの生産活動をおこないます。生産した財やサービスを市場で販売して、得られるのが**利潤**（☞P.95）です。

　家計が、効用の最大化を目的に経済活動をおこなうのに対して、企業は、**利潤の最大化**（☞P.125）を目的にします。なぜなら、労働者に賃金を支払うためにも、株主に配当を支払うためにも、企業が社会に貢献するためにも、利潤が必要だからです。

生産要素

　企業が、財やサービスを生産するために必要なものを「**生産要素**」といいます。いろいろな見方がありますが、「**労働**」「**資本**」「**土地**」の3つを生産要素とするのが一般的です。

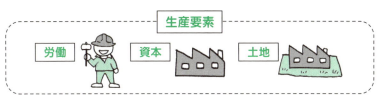

　「**労働**」は、肉体の労働のほか、頭脳の労働も含みます。労働に対して、企業が支払うのが**賃金**で、これが**家計**（☞P.108）の収入になります。

　「**資本**」とは、生産や販売に使う機械や建物など。資本に対して、企業は**利子**を支払うとされます。これは、ミクロ経済学では資本はレンタルしていると考えられ、資本のレンタル料が利子率だからです。

　「**土地**」は、自然から得られる生産要素で、文字どおりの土地のほか、天然資源なども含みます。借りた土地に対して支払うのは**地代**です。

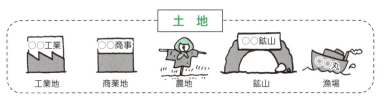

限界生産

限界生産物、限界生産力

企業の生産についても、家計の**効用**（ P.94）と同じく「限界」の考え方ができます。「**限界生産**」は、「生産要素の増加分」と「生産量の増加分」の比率です。

しかし、ある1つの生産要素だけを増やしても、効果は限られます。限界生産もまた、「逓減する＝だんだん減る」のです。

限界生産逓減の法則　限界生産力逓減の法則

限界生産が逓減するため、1つの生産要素だけを増やすことは、利潤の最大化につながりません。これが「**限界生産逓減の法則**」です。

企業の生産量は、利潤の大きさに直結する数値です。そのため限界生産がどれくらい逓減するかは、企業にとって重要な情報になります。

生産関数

生産要素の投入量と生産量の関係を、関係式であらわすと「**生産関数**」というものになります。労働と資本、土地それぞれに生産関数ができるわけです。1つの生産関数を考えるときは、他の生産要素は一定と仮定します。生産関数を、グラフにしたものが下図です。

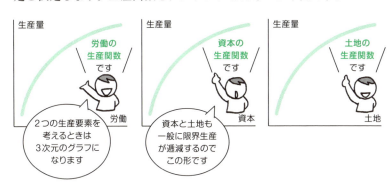

限界分析

限界効用や限界生産のように、限界の値に注目して分析をおこなう方法を総称して「**限界分析**」と呼びます。限界分析では、絶対値や平均値ではなく「**限界値**」が重要です。限界効用、限界生産のほかにも、**限界収入**（☞P.124）、**限界費用**（☞P.121）などの考え方があります。

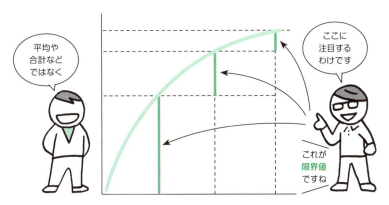

費用曲線

総費用曲線

　企業の生産には、当然のことながら**費用**（☞P.97）がかかります。企業の**収入**（☞P.277）から、この費用を差し引いたものが**利潤**（☞P.95）です。利潤を最大化するためには、**収入を最大化**するとともに、**費用を最小化**する必要があります。

　費用が最小化されているという前提で、費用と生産量の関係を見るのが「**費用曲線**」です。生産量を増やすと、当然、費用も増えますから、費用曲線が右上がりになります。しかも、**限界生産は逓減する**（☞P.118）ので、直線的な右上がりにはなりません。

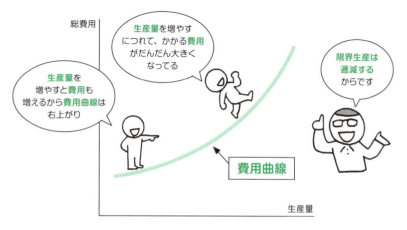

限界費用　限界コスト

つまり、費用にも「限界」の考え方ができるわけです。「**限界費用**」の場合は、費用の増加分と生産量の増加分の比率になります。限界生産が逓減するのに対して、限界費用は生産量が増えるにつれて、**逓増する**＝だんだん増えるものです。

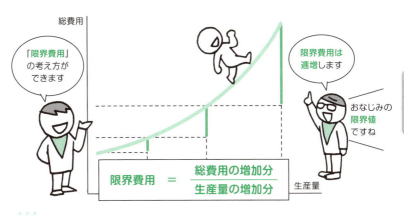

総費用　総コスト

ところで、費用曲線が、縦軸にとった総費用の途中から始まっていることに気がつきましたか。これは、費用の中に**固定費用**と**変動費用**（☞次項）があるからです。固定費用は、生産量がゼロでもかかります。固定費用と変動費用を合わせた呼び方が「**総費用**」です。

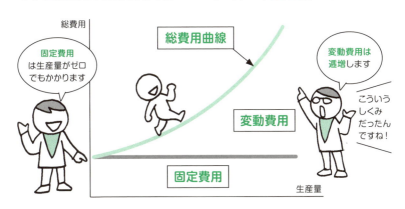

固定費用　固定費

　生産量に関係なく、一定額かかるのが「**固定費用**」です。何が固定費用かは、いろいろな見方がありますが、現代の日本では、たとえば正規雇用の**人件費**や家賃、機械などの**減価償却費**（☞ P.273）が、固定費用とみなされています。

変動費用　可変費用、変動費

　一方、生産量に比例して増減するのが「**変動費用**」です。変動費用の典型的なものには、製造業で製品を作るためにかかる**原材料費**や、販売業で売る商品の仕入（**売上原価**）などがあります。これらは、生産量や販売量の増減に比例して変動する、変動費用です。

平均費用

　総費用を、生産量で割ったものを「**平均費用**」といいます。平均費用は、生産量によって変わるものです。なぜなら、総費用のうちの固定費用は、生産量が増えるほど、1個あたりの額が小さくなるからです。また、変動費用は生産量が増えるほど大きくなるからです。

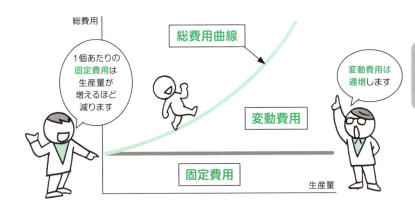

　そうすると、ある生産量までは生産量の増加により平均費用が小さくなり続け、それを超えると平均費用は大きくなり始めることになります。その、平均費用が大きくなり始める手前の生産量が、**費用の最小化**（☞ P.120）となる生産量です。

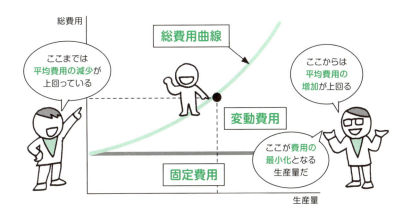

総収入

総費用に対して、企業の収入は「**総収入**」と呼びます。これは、企業が生産する各製品の販売数量と価格を掛けた額の総合計です。ようするに、企業の売上額になります。価格に変動がなく、生産した製品がすべて売れるとすると、総収入は直線的に伸びるはずです。

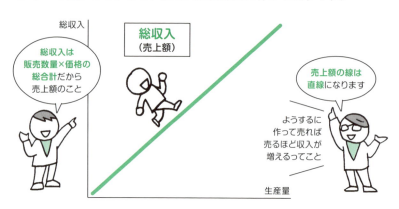

限界収入

限界費用（☞ P.121）と同様に、「**限界収入**」というものを考えてみると、生産が1個増えた場合の収入の増加分ですから、これは製品1個の価格と同じになります。それでは、限界収入には特別な意味がないように思えますが、じつは……。

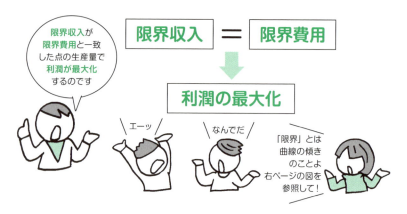

利潤の最大化

それでは、**総費用曲線**と**総収入の線**で考えてみましょう。**利潤は総収入から総費用を差し引いたもの**（☞P.120）ですから、2つの線の高さの差が、利潤になります。そして、高さの差が最も大きい点が、**利潤が最大化**する点です。

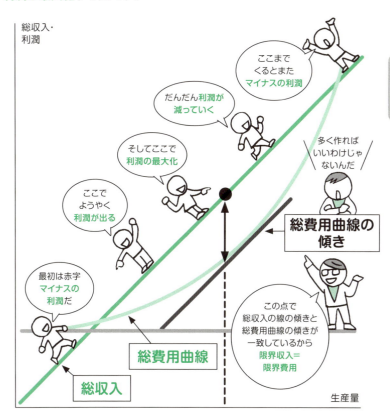

つまり、この点より生産量が少ないと、総収入の線の傾きのほうが急（＝生産を増やせば利潤が増えること）になります。しかし、この点を超えると、総費用曲線の傾きのほうが急（＝生産を増やすと利潤が減ること）になるのです。この点で、**限界収入と限界費用が一致**しています。

損益分岐点 損益分岐点売上高

利潤の最大化の考え方は、企業経営でも利用されています。事業の採算を見る際に、利潤（利益）がゼロになる生産量（売上高）が「損益分岐点」です。経済学と違い、企業経営は短期的に見るため、総費用は逓増しないものとして、直線で描くのが一般的になっています。

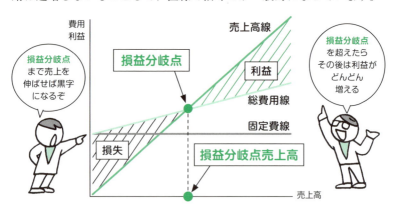

操業停止点

一方、固定費用（固定費）を考えず、変動費用（変動費）だけで見て利益がゼロになる点が「操業停止点」です。急激な原材料価格の高騰などで、売上高が操業停止点を下回ることがあります（上図のように、総費用線よりも売上高線の傾きが急な場合はありえません）。

埋没費用

サンク・コスト、埋没コスト

　費用と利潤の話の最後に、私たちの日常にも役立つ、費用の考え方を、1つご紹介しましょう。私たちは、日常の仕事や生活で、つい次のように考えてしまうことがあります。

　しかし、本当にこれで正しいのでしょうか。投資したり、支出した費用は、続けても止めても戻ってきません。ならば、その費用はいったん横に置いて、これからどうするかを意思決定すべきなのでは……。

　このように、取りやめても戻ってこない費用が「**埋没費用**」です。意思決定の際には埋没費用を無視するというのが経済学の考え方です。

1分でチェック！ この章のポイント

- [ ] ミクロ経済学でいう、**限界**とは、簡単にいえば増加分や増加率のこと。

- [ ] 需要と価格の関係をグラフであらわす**需要曲線**は、価格が上がるほど需要が減り、価格が下がるほど需要が減ることを示す。

- [ ] 供給と価格の関係をあらわす**供給曲線**は、価格が下がるほど供給が減り、価格が上がるほど供給が増えることを示す。

- [ ] 需要曲線と供給曲線の交点の価格を**均衡価格**、需要・供給の量を**均衡取引量**という。

- [ ] 消費の増加分と、効用の増加分の比率を、**限界効用**という。限界効用はだんだん減る（**逓減する**）。

- [ ] 財やサービスの価格変化は、家計の消費行動において**所得効果**や**代替効果**といった影響を与える。

- [ ] 企業にとって、労働、資本、土地の３つを**生産要素**という。生産要素の投入量と生産量の関係をあらわすのが、**生産関数**。

- [ ] 企業の**収入**から**費用**を差し引いたものが**利潤**。利潤を最大化するには、収入を最大化するとともに費用を最小化する必要がある。

- [ ] 費用には、**固定費用**と**変動費用**がある。

- [ ] **限界収入**と**限界費用**が一致した点の生産量で、**利潤が最大化する**。

---

who's who

アーサー・セシル・ピグー（1877〜1959年）
「ピグー効果」で知られ、厚生経済学の分野を拓いたイギリスの経済学者。三部作となる『厚生経済学』『産業変動論』『財政の研究』ほか著書多数。

価格・市場
ミクロ経済学の用語②

市場

マーケット

「市場」は、「いちば」とも、「しじょう」とも読みます。魚市場など具体的な場所を示すときは「うおいちば」、国内市場など経済的な機能をあらわすときは「こくないしじょう」とする分類もありますが、現在では「しじょう」と読むことが多くなっているようです。

それはともかく、「市場」とは、財やサービスの売り手と買い手が出会い、価格を決めて、取引をする場のことです。

といっても、通信技術などが進歩した現代では、コンピュータ・ネットワークなどで、売り手と買い手が出会う市場が多くなっています。

完全競争市場

完全競争

市場について、経済学では「**完全競争市場**」というものを考えます。これは、市場に参加する経済主体が、自分の目的を正しく理解していて、何の制約もなしに、自由に意思決定ができる市場のことです。通常は、次の**4つの条件**を満たすことが必要とされます。

取引される財が同質である

全員が完全な情報を持つ

多数の経済主体が存在する

参入も退出も自由である

完全競争市場では、売り手も買い手も無数に存在し、互いに競争をするため、売り手と買い手は、誰も自分で価格を決めることができません。価格は、市場で決まるのです。その結果として、財やサービスは最も適正に配分されることになります。

市場均衡

市場均衡点、市場の均衡点

　完全競争市場では、価格はどのように決まるのでしょうか。下図のように、需要曲線と供給曲線の交点で価格が決まります。——あれあれ、これはどこかで見たような……。そうです、完全競争市場では、**需要と供給が均衡する点で価格が決まる**のです（☞ P.104）。需要が超過すれば価格が上がり、供給が超過すれば価格が下がります。価格が上がれば需要は減り、価格が下がれば供給が減る、という具合に、価格は均衡に向かうのです。

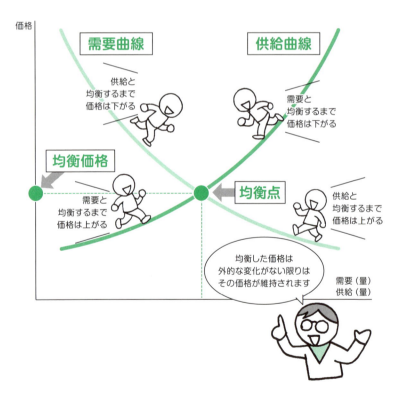

　そして、決まった価格は外的な条件の変化がない限りは、その状態が持続されると考えます。この状態が「**市場均衡**」です。

均衡価格　競争価格

　完全競争市場の市場均衡のもとで、持続する価格を「**均衡価格**」とか「**競争価格**」といいます。均衡価格による需要と供給は、消費者の家計にとっては**効用の最大化**（☞ P.95）、生産者の企業にとっては**利潤の最大化**（☞ P.125）という目的を達成しているのです。

市場価格

　均衡価格に対して、実際に市場で取引されている価格が「**市場価格**」です。市場価格は、長期的に見ると均衡価格に向かいますが、短期的には、需要と供給の急激な変化や、外的な要因などによって、均衡価格と一致しないことが少なくありません。

プライス・テーカー　Price taker、価格受容者

　完全競争市場では、価格が市場で決まるため、誰も自分で価格を決めることができません。価格は、一方的に受け入れるしかないものになるので、これを「**プライス・テーカー**」と呼びます。プライス・テーカーは、需要曲線も供給曲線も水平だと思っているものです。

不完全競争市場

　完全競争市場は経済学の前提ですが、じつは、現実にはありえないとされてきました。現実の市場は、**４つの条件**（☞ P.131）を満たさない「**不完全競争市場**」だということです。しかし近年では、インターネットの発展により、存在し得るかもしれないといわれています。

市場メカニズム

市場機構、価格メカニズム、価格機構、価格調整メカニズム、価格の自動調整機能

　これまで見てきたように、完全競争市場では需要と供給から価格が決まり、決まった価格で需要と供給が調整されるというメカニズムが働きます。この全体が「**市場メカニズム**」と呼ばれるものです。日本語では「**市場機構**」などともいいます。

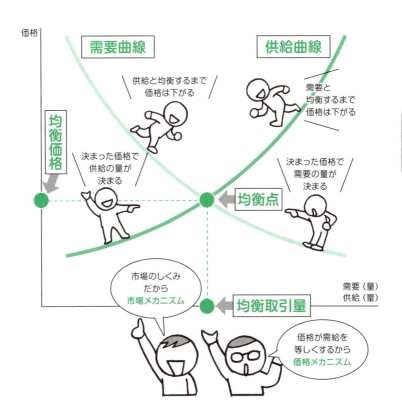

　また、このメカニズムを、価格を中心に見ると、価格が需要と供給を一致させることになるので、「**価格メカニズム**」とか「**価格機構**」ともいいます。いずれにしても、このしくみによって、経済全体としての最も効率的な**資源配分**（☞ P.138）が可能になっているのです。

生産者余剰

　市場メカニズムを、**企業の利潤＝生産者の利益**、から見てみましょう。供給曲線の縦軸は、最低この値段なら売ってもいいと考える価格ですから、均衡価格が供給曲線より上にある場合、その差は生産者の利益です。この利益のことを、経済学では「**生産者余剰**」と呼びます。

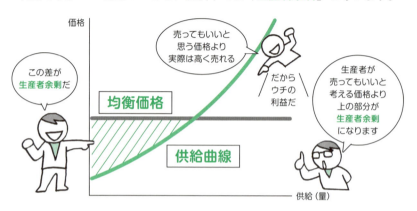

消費者余剰

　一方、**家計の効用＝消費者の利益**は、需要曲線でわかります。需要曲線は、最低この値段なら買ってもいいと消費者が考える価格です。均衡価格が需要曲線より下にある場合、その差は消費者のトクになります。このトクが「**消費者余剰**」です。

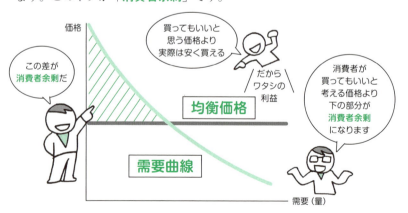

社会的余剰 総余剰

　そして、生産者余剰と消費者余剰を合計したものを「**社会的余剰**」といいます。ようするに、社会全体が得る利益、トクの総合計です。

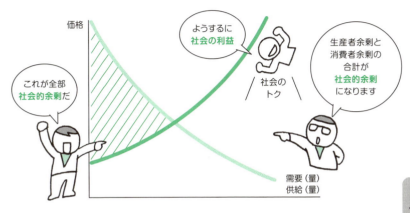

　ところで、完全競争市場では**市場メカニズム**（☞ P.135）によって、価格は均衡価格に向かうのでした。**均衡価格**（☞ P.133）で、企業は利潤の最大化を、家計は効用の最大化を達成します。つまり、生産者余剰と消費者余剰、すなわち**社会的余剰**が最大になっているのです。

　つまり、市場メカニズムによって、社会全体が最も効率的で、最も好ましい状態になる、というわけです。

資源配分

価格の資源配分機能

社会全体が効率的で、好ましい状態とは何でしょう。経済学の基本的な問題に「**資源配分**」があります。**希少性**（☞ P.92）がある資源を、何に、どう配分すれば、社会にとって効率的で好ましい状態になるかということです。これを解決するのが、**市場メカニズム**なのです。

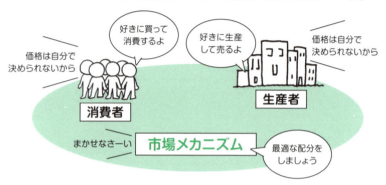

見えざる手　神の見えざる手

このことを「**（神の）見えざる手**」と表現したのが、**アダム・スミス**（☞ P.88）です。消費者や生産者が、自分たちの効用や利潤を追求すると、価格と、需要と供給の調整がおこなわれ、必要性の高いものに多く、低いものに少なく配分されて、最適の資源配分になります。

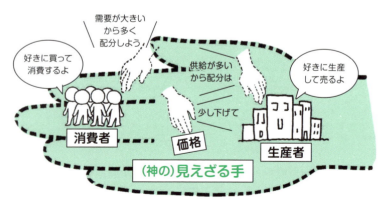

パレート最適

パレート効率性

社会全体として、資源がムダなく、効率的に配分されているかどうかは、どこでわかるでしょうか。ミクロ経済学に、資源配分の効率性を見る「パレート最適」という考え方があります。

資源が効率的に配分されていると、誰かの効用を減らさない限り、誰かの効用を増やせなくなります。例で考えてみましょう。

注意しなければならないのは、パレート最適では社会全体としての配分の効率を見るので、公平な配分などは問題とせず、またパレート最適の状態が1つではなく、多数存在することです。

限界生産物価値

限界生産価値

　次に、生産者は**生産要素**（☞ P.117）に対して、どのように資源を配分するのでしょうか。これを見るのに役立つのが「**限界生産物価値**」の考え方です。たとえば、生産要素としての労働を増やすことで、生産者の収入が増加した分を「労働の限界生産物価値」と呼びます。

　具体的には、投入した労働に対する**限界生産物**（☞ P.118）に**市場価格**（☞ P.276）を掛けたものが、労働の限界生産物価値になります。そして、限界生産のところで説明したように、限界生産は逓減しますから（限界生産逓減の法則）、限界生産物価値も逓減するものです。

　一方、賃金の増加分（**限界費用**、☞ P.121）は逓増するので、右上がりの曲線です。そして、2つの曲線が一致する点で利潤が最大化します。なぜなら、限界収入＝限界費用で利潤が最大化するからです。

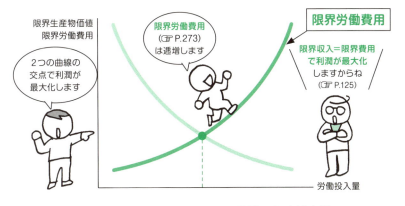

　生産者の資源配分としては、ここまで労働の投入量を増やしていいことになります。

　ところで、上のグラフを見た記憶がありませんか。そう、**需要曲線**と**供給曲線**（☞P 104）にそっくりなのです。限界生産物価値の曲線は労働の需要曲線、限界労働費用の曲線は供給曲線になります。

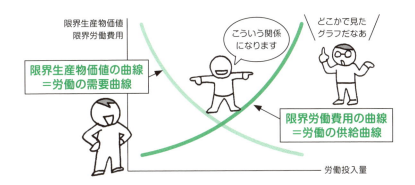

レント

rent

　労働、資産に続く生産要素といえば、**土地**です。生産をおこなう企業に土地を貸すと、地代が得られます。地代のように、資産を貸して得られる収益を、経済学では「**レント**」といいます。レントが特殊なのは、長期的に見ると土地の供給量が変化しないことです。つまり供給曲線は、土地の限界生産物価値に関係なく、垂直な直線になります。

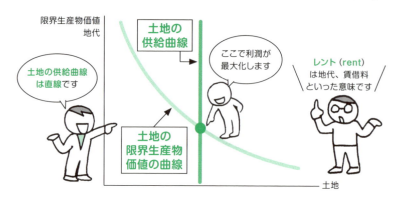

　労働や資本と同じく、2つの線が一致する点で利潤が最大化します。しかし、経済成長などで土地の限界生産物価値が上がり、曲線が上方にシフトすると、土地の所有者が何もしなくても地代が上がることも。

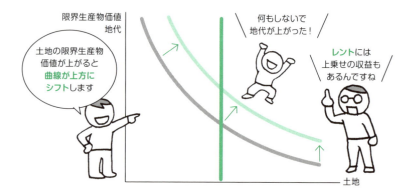

準レント

　人為的な原因で、レントが生まれることもあります。たとえば、政府の政策で市場への参入が規制されるような場合です。その場合も、供給が変化しないことになるので、レントと同じような収益が発生します。このようなものを指す用語が「**準レント**」です。自分に有利な準レントを、意図的に得るために政治家などに働きかける活動は「**レント・シーキング**（rent seeking）」と呼ばれます。

　ここから転じて、完全競争市場だったら得られないはずの超過収益全般を、レントということもあります。

ローレンツ曲線

ところで、経済主体としての企業は、家計に労働の対価として賃金を分配します。資本や土地の対価である利子や地代も、最終的には預金や投資をしている家計に入るものです。つまり、企業が稼ぎ出した**付加価値**（☞ P.172）のほとんどは、最終的に家計に分配されるのです。

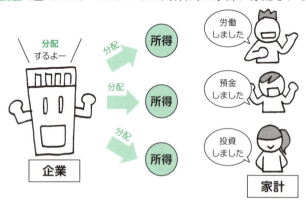

しかし、すべての家計に、同じように分配されるわけではありません。個々の家計によって、親から多額の資産を受け継いだり、稼ぎが多かったり少なかったりして、家計ごとの所得には格差が生まれます。この格差を見るときによく使われるのが「**ローレンツ曲線**」です。

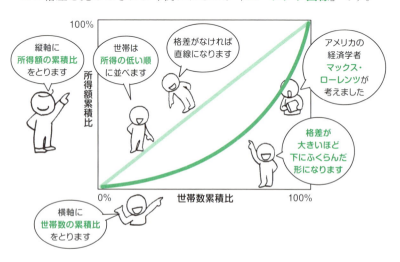

ジニ係数

　所得の多い、少ないは、自分たちの努力による部分もありますが、運に左右される面もあります。広い土地を相続して多額の地代が入る家計もあれば、病気で働けなくて所得が減る家計もあるでしょう。そこで、財政政策による**所得再分配機能**（☞P.214）がおこなわれています。

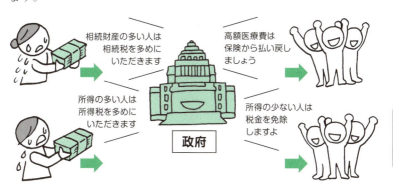

　このような所得再分配の効果を見る際などに、よく利用されるのが「**ジニ係数**」です。ローレンツ曲線の上部と下部の比をとって算出し、0から1の間の値であらわされます。0に近いほど格差が小さく、1に近いほど格差が大きいとわかるわけです。

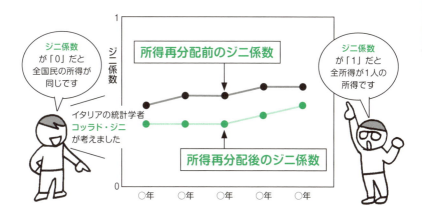

独占

　完全競争市場（☞ P.131）での話を続けてきましたが、**不完全競争市場**についても見ておきましょう。不完全競争市場の最も極端な形に「**独占**」があります。いうまでもなく、ある市場に売り手の企業が１つしかない状態のことです。その市場は「**独占市場**」と呼び、その企業を「**独占企業**」といいます。独占企業とは、下図のようなものです。

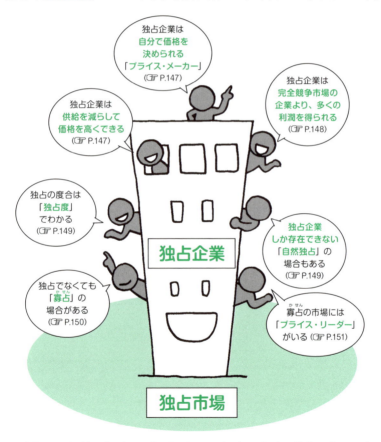

　独占は、必ずしも悪いことばかりではなく、公平で効率が良いなどのメリットもあります。それもあってか、日本の電力会社は2016年まで独占（地域独占）を、例外的に認められていました。

プライス・メーカー　Price maker、価格設定者

　市場に競争相手がいない独占企業は、価格を自分で、自由に決めることができます。完全競争市場では市場で価格が決まり、企業は**プライス・テーカー**（☞ P.134）であるのと対照的です。独占企業は「**プライス・メーカー**」（**価格設定者**）なのです。

逆需要曲線　逆需要関数

　では、独占企業はどのように価格を設定するのでしょうか。一般に、価格が高いほど需要は減り、低いほど増えます。これをあらわしたものが**需要曲線**（☞ P.102）です。この需要曲線を逆に見ると、独占企業は、自分が売りたいだけ需要がある価格を設定すればよいことになります。

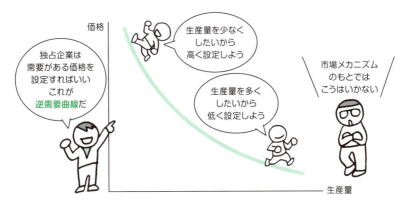

独占利潤

　独占企業も企業ですから、目的は**利潤の最大化**（☞P.125）です。利潤は収入と費用の差ですから、逓減する収入と逓増する費用の差が最も開いた点で最大化します。このとき、収入曲線の傾きがあらわす限界収入と、費用曲線の傾きがあらわす限界費用が一致しているのです。

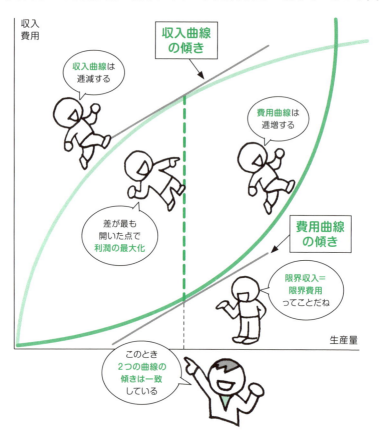

　独占企業の場合も、「**限界収入＝限界費用**」となる点で、利潤が最大化するわけです。違いは、独占企業は価格を自由に決められること。高く設定すれば、市場で価格が決まる場合と比べて、より多くの利潤を得られます。この、増えた分の超過利潤が「**独占利潤**」です。

独占度　マージン率

独占利潤の大きさをあらわす指標が「**独占度**」です。市場での独占がどれくらい強いかも、これでわかります。独占度を測る方法はいくつかありますが、代表的なのは下図の「**ラーナー指標**」です。費用に対して、どれだけ超過利潤が上乗せされているかを測っています。

自然独占

経済的な効率性の問題から、必然的に独占市場になる場合もあります。1企業が独占したほうが圧倒的に低コストで供給できる場合や、資源がきわめて希少で、複数の企業が参入できない場合などです。そうした場合、事実上1企業しか市場に存在しない＝「**自然独占**」になります。

寡占

　市場に1社ではなく、複数の企業がいるものの、それがごく少数である場合が「**寡占**」です。寡占企業は**完全競争市場**（☞P.131）の企業と違って、価格をある程度、自由に決めることができます。しかし、他の企業の価格も無視できないのが、**独占**（☞P.146）との違いです。

複占

　寡占のうち、市場にいる企業が2社の場合を「**複占**」といいます。複占は最も単純な形で寡占の問題があらわれやすいので、経済学の重要な研究対象です。複占や寡占の市場では、企業が互いに利潤の最大化を図るため、価格競争やシェアの奪い合いを避ける傾向があります。

プライス・リーダー　プライス・リーダーシップ

それでは、寡占市場の価格は、どのように決まるのでしょうか。寡占企業は、価格競争が互いの不利益になると考えているので、できるだけ避けようとします。そのため、まず広告宣伝やデザイン、品質、パッケージ、さらにアフター・サービスなどで差別化するのです。

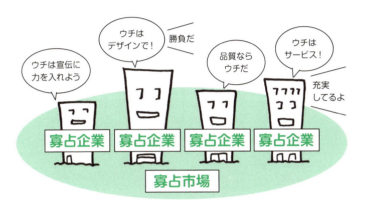

しかし、外的な要因などで価格の変更が必要になると、まず1社が先行して価格を改定します。この企業が「**プライス・リーダー**」です。他の寡占企業は追随して価格を改定しますが、このような価格の決まり方を「**プライス・リーダーシップ**」（**価格先導制**）といいます。

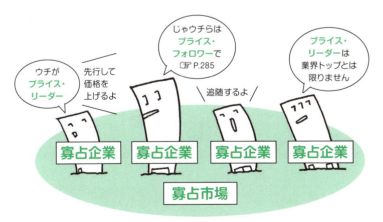

同質財

　寡占市場で価格がどう決まるかは、企業が扱う、財やサービスにもよります。どの企業が作っても品質などが変わらないものが「**同質財**」です。同質財では、買い手が価格以外に違いを見いださないので、ライバルよりも高い価格をつけることができません。

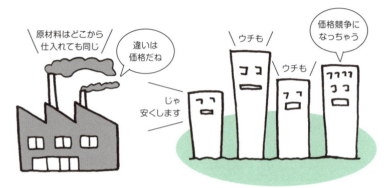

差別財

　一方、「**差別財**」は、品質や機能が同じでも、買い手の好みなどで違いが生じる、財やサービスです。買い手は、価格以外の要素にも目を向けるので、ライバルの価格を参考にしつつも、ときにはライバルよりも高い価格をつけることができます。

独占的競争

完全競争（☞ P.131）、独占、寡占と見てきましたが、どれにもあてはまらない第4の形態もあります。たとえば、レストランを考えてみてください。おいしいと評判になってそれが広まると、多少高くてもお客が来るなど、独占に近い価格の決め方ができます。しかし、他のレストランが市場からいなくなるわけではないので、競争の中にあることに変わりはありません。これが「**独占的競争**」の状態です。

上のレストランの場合は、味という品質によって他と差別化していますが、差別化は品質だけに限りません。ようは、買い手に、他と違っているというイメージを与えられればよいのです。

ゲーム理論

ゲームの理論

　完全競争や独占を除けば、企業は互いに影響を受けながら、価格や生産量といった意思決定をしています。他社が、自社の行動に対してどう反応するかを予測しないことには、自社が最も有利となる行動が選択できないからです。

　この意思決定を、数理的に分析する経済学の分野が「**ゲーム理論**」です。この用語は、アメリカの数学者**フォン・ノイマン**が、経済学者**オスカー・モルゲンシュテルン**の協力を得て著した本、『ゲームの理論と経済行動』に由来しています。この書物が、ゲーム理論の出発点です。

ナッシュ均衡

ゲーム理論では、プレーヤーは相手の戦略を予測したうえで自分の戦略を選択します。互いに相手の戦略を予測したうえで、各プレーヤーが最適の戦略を選択している状態が「**ナッシュ均衡**」です。ゲーム理論を研究したアメリカの数学者**ジョン・ナッシュ**にちなんでいます。

ペイ・オフ　利得

では、何をもって最適の戦略とするのでしょうか。プレーヤーが、ある戦略を選択した結果として得られる利益を「**ペイ・オフ**」「**利得**」といいます。このペイ・オフが最大になる戦略が、プレーヤーにとって最適の戦略です。

囚人のジレンマ

　ゲーム理論の有名な例に、「**囚人のジレンマ**」というものがあります。これだけでナッシュ均衡やペイ・オフの考え方、さらにナッシュ均衡が最善の選択とは限らないことがわかるというスグレモノです。「囚人のジレンマ」では、共犯のAとB、2人の囚人に対して、別々に、検事が次のような司法取引をもちかけます。

　この場合のペイ・オフは、懲役期間の短さです。これは「**利得表（ペイ・オフ表）**」というものを書いてみるとわかります。AとBそれぞれが黙秘の場合、裏切りの場合に、自分がどうなるかを見るわけです。

囚人AとBの利得表

		囚人A 黙秘（協調）	囚人A 裏切り（非協調）
囚人B	黙秘	A 3年 / B 3年	A 1年 / B 10年
囚人B	裏切り	A 10年 / B 1年	A 6年 / B 6年

もし、AとB、2人が相談できたら、2人とも黙秘を貫く選択をするでしょう。それが、最も確実に懲役期間を短くできるからです。しかし、2人は別々に収監されているので話し合うことができません。互いに、相手がどうするか疑心暗鬼のなか、Aは次のように考えます。

　囚人Bにとっても状況はまったく同じです。こうして2人は、合理的な選択の結果、「裏切り（非協調）、裏切り（非協調）」という行動に至ります。それがナッシュ均衡だからです。結果として2人は、最もペイ・オフが大きい選択ができないというジレンマに陥ります。

カルテル

とくに寡占市場において、企業同士が価格や生産量について協定を結び、少ない生産量と高い価格を維持しようとすることがあります。これが「**カルテル**」です。カルテルが結ばれると買い手は高い価格で買うしかなくなるので、日本では独占禁止法で原則禁止されています。

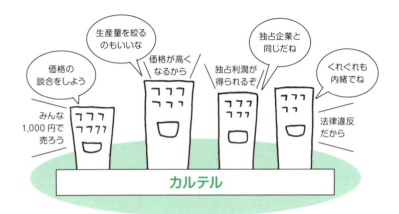

じつはカルテルでは、囚人のジレンマと同じような問題が起こりえます。抜け駆けをすると、その企業は大きな利益が得られるからです。

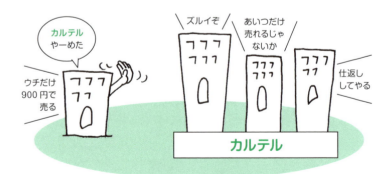

しかし、現実のカルテルでは、抜け駆けは起こりにくいものです。それはなぜでしょうか（次項「フォーク定理」に続く）。

フォーク定理

フォークの定理

囚人のジレンマとカルテルの違いは、1回限りの選択か、繰り返す選択かです。繰り返す場合は、将来得られるペイ・オフを考えると協調したほうがトクになる場合があります。次の例で考えてみましょう。

カルテル継続と離脱の利得表

	1年め	2年め	3年め	4年め
カルテルを継続（協調）	100万円	100万円	100万円	100万円
カルテルを離脱（非協調）	200万円	50万円	50万円	50万円

繰り返しゲーム

上の例では4年めで、カルテルを抜けて得た利得よりも続けた利得のほうが大きくなります。このように繰り返すゲームを、ゲーム理論では「**繰り返しゲーム**」と呼び、繰り返しゲームでは「協調、協調」がナッシュ均衡になりやすいことを「**フォーク定理**」といいます。

※**フォークロア定理** 数学で、誰もが当然と考えているが、誰も証明していない定理を指す。

市場の失敗

　市場は、うまく機能する場合ばかりではありません。**市場メカニズム**（☞ P.135）が働いても、効率的な資源配分――**パレート最適**（☞ P.139）にならないことがあります。これが「**市場の失敗**」です。市場の失敗の代表的な原因には、次のようなものが考えられています。

　一方、市場の失敗の結果としてあげられるのは、次のようなものです。今日では、貧困や格差なども市場の失敗と考えられています。

　市場の失敗が起きたときは、政府が何らかの方法で市場に介入する必要があるとされますが、民間で克服できるとする考え方もあります。

市場の外部性

外部性、外部効果

　市場の失敗の1つが「**市場の外部性**」です。ある経済主体が、市場を通さずに、外部で別の経済主体に影響を及ぼしてしまうことをいいます。この代表的な例は、公害です。ある市場の企業が公害を引き起こすと、その市場に関係のない家計や企業にまで害が及びます。

　見方を変えると、公害を起こした企業は、環境の悪化というコストを、市場を通さずに他の企業や家計に押しつけていることになります。

　市場の外部性には、マイナスの影響を及ぼす「**外部不経済**」と、反対にプラスの影響を及ぼす「**外部経済**」があります（☞ P.162）。

外部経済　正の外部性

　これもよくあげられる例ですが、たとえば新しい鉄道の駅ができると、駅周辺の地価が上がり、土地所有者がプラスの影響を受けることがあります。これが「**外部経済**」です。市場を通した取引ではないので、土地所有者が地価上昇の対価を求められることはありません。

外部不経済　負の外部性

　一方、この駅から遠い、昔からある商店街は、人の流れが変わって売上げが落ちることもあるでしょう。これは「**外部不経済**」なので、マイナスの影響があっても、鉄道会社に費用の分担や利益の分配を求めることはできません。市場を通した取引ではないからです。

外部性の内部化 外部効果の内部化、外部不経済の内部化

161ページで公害をたれ流している企業は、廃棄物処理のコストを負担しない分、財やサービスを安く供給しています。つまり、外部不経済の分、供給曲線が右下にシフトして、経済全体から見ると**超過供給**（☞P.105）になっているわけです。

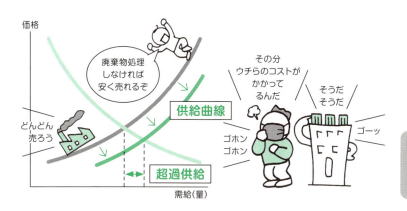

上の状態では、経済全体として見ると、最適な資源配分がおこなわれていません。その原因は、市場の外部性です。そこで「**外部性の内部化**」ができれば、非効率性を解消することができます。外部不経済を内部に取り込むためには、どんな方法が考えられるでしょうか。

ピグー課税　ピグー税

　外部不経済を生じさせている企業に対して、政府がその分を税金として取り上げ、外部不経済を相殺しようとするのが「**ピグー課税**」です。実際、日本でもCO_2を排出する経済主体に対しては「地球温暖化対策のための税」などが課税されています。

コースの定理

　一方、政府の税金による介入がなくても、民間の当事者間の交渉で、外部性の内部化が可能という考え方もあります。企業が賠償金を支払うことにしても、外部不経済をなくす対策をとることにしても、同じ水準の資源配分が達成できるとするのが「**コースの定理**」です。

公共財

もう1つの**市場の失敗**（☞P.160）が「**公共財**」の存在です。公共財とは、消費しても他の人の消費が減らず、コストを負担しない人も消費ができる財をいいます。つまり、「非競合性」と「非排除性」を持つ財です。たとえば、道路という公共財を考えてみると……。

私的財

この公共財の存在が、なぜ市場の失敗になるのでしょうか。それを知るために、公共財の反対の「**私的財**」についても見ておきましょう。つまり、消費すると他の人の消費が減り、コストを負担しない人の消費を排除できる財のことです。たとえば、住宅を考えてみると……。

サミュエルソンの公式　サミュエルソン条件

　公共財の最適な資源配分は「**サミュエルソンの公式**」に示されています。すなわち、公共財を作ることで増加する1人ひとりの便利さや利益（私的限界便益）の総合計（**社会的限界便益**）と、その公共財を作るために増加する費用（**限界費用**）が等しい点まで、公共財を供給するのが最適です。しかし、ここで非競合性と非排除性がジャマをします。費用を負担しない人を排除できず、利用されてしまうからです。

フリーライダー　ただ乗り

　つまり、「**フリーライダー**」（**ただ乗りする人**）の問題が生じるのです。こうして最適な資源配分はおこなわれず、**市場の失敗**となります。

---

who's who

ポール・アンソニー・サミュエルソン（1915～2009年）
アメリカの経済学者。主著『経済分析の基礎』では、**近代経済学**（☞P.88）を数学的方法で整理し、それ以降、経済学で数学が駆使される基礎を築いた。

情報の非対称性

情報の不完全性

市場の失敗にはもう1つ、「**情報の非対称性**」があります。たとえば、自動車保険で考えてみると、下図のように情報が非対称となり、一方の情報が不完全だと、そこからいろいろな**市場の失敗**が生じます。

モラル・ハザード

たとえば「**モラル・ハザード**」。経済学では、保険に入った人が安心して、不注意や故意で事故を起こす危険などをいいます。

このように、ずっと監視しているわけにはいかないという、情報の非対称性によって、モラル・ハザードという市場の失敗が生じます。

逆選択　逆選抜

情報の非対称性からは、別の形の**市場の失敗**も生じます。たとえば、自動車保険で保険会社が、事故が起こる確率をよく知らないまま、保険料を決めて売り出してしまうと……。

すると、事故を起こす確率が高い人ばかり加入することになるので、実際にこの保険加入者が事故を起こす率が高くなります。すると……。

この保険加入者が事故を起こす率は、さらに高くなります。こうして保険料が高額になり、しまいには市場として成立しなくなってしまうのです。このような問題を「**逆選択**」といいます。

レモン市場

　逆選択はよく、中古車市場の例でも説明されます。中古車の場合、保険とは逆に、買い手が少ない情報しか得られません。そこで、売り手にだまされることを恐れて、質の良い、高い中古車ではなく、安いほうを選びます。その結果、市場が安い、質の悪い中古車ばかりになるのです。アメリカの俗語で、質の悪い中古車を「レモン」と呼ぶことから、このような逆選択の市場を「レモン市場」といいます。

グレシャムの法則　悪貨は（が）良貨を駆逐する

　逆選択の話を聞いて、同じような意味の有名な言葉があったな、と思いませんでしたか。そう、「悪貨は良貨を駆逐する（グレシャムの法則）」です。これはもともと貨幣の話ですが、今日では逆選択と同じような意味でも使われます。

> 普通は、良いほうを選ぶのが「選択」ですが
> 逆に、悪いほうばかり選んでしまうのが「逆選択」です

1分でチェック! この章のポイント

- □ 財やサービスを取引する**市場**について、経済学では**完全競争市場**というものを考える。

- □ 完全競争市場では、需要と供給が均衡する点で価格が決まり、その価格で需要と供給が調整される。これを**市場メカニズム**という。

- □ 市場メカニズムにより、希少性のある資源が、社会にとって効率的で好ましい状態になるように配分される。**アダム・スミス**はこれを「**神の見えざる手**」と表現した。

- □ **パレート最適**とは、資源配分の効率性を見るときの考え方。

- □ 生産者が、生産要素に対してどのように資源配分すれば良いかを考えるときに役立つのが、**限界生産物価値**の考え方。

- □ **不完全競争市場**には、**独占**、**寡占**、**複占**などの状態がある。

- □ 企業が価格や生産量を意思決定する際の問題や行動を、数理的に分析する経済学の分野を、**ゲーム理論**という。よく知られているのが、**囚人のジレンマ**。

- □ 市場メカニズムが働いても、ムダのない資源配分がされないケースもある。これを、**市場の失敗**という。

- □ 市場の失敗には、**市場の外部性**や、**情報の非対称性**がある。

ジョン・ナッシュ(1928～2015年)
アメリカの数学者。ゲーム理論の基本的な概念である「ナッシュ均衡」の提唱者。1994年、ノーベル経済学賞受賞。その半生は映画『ビューティフル・マインド』でも描かれた。

Chapter 6

GDP・景気
マクロ経済学の用語①

付加価値

　ミクロ経済学が、家計や企業といった1つひとつの経済主体を対象にするのに対し、**マクロ経済学**は、国民経済全体を対象にします。経済全体として、**GDP**（**国内総生産**、☞P.26）や物価、経済成長や**景気**（☞P.20）などを研究するのが、マクロ経済学です。マクロ的な経済活動の結果は、まず「**付加価値**」としてとらえられます。付加価値は、正確にいえば次のように計算されるものです。

　では、生み出された付加価値は、その後どうなるのでしょうか。前にも見たように、各生産要素の所有者に**分配**（☞P.85）されるのです。

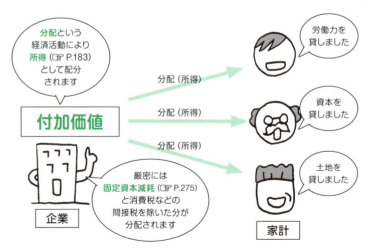

所得として分配を受けた家計や企業は、政府に所得税、法人税などの直接税や、社会保険料などを納めます。また、預金や投資の利子、配当などのやりとりもおこなわれます。

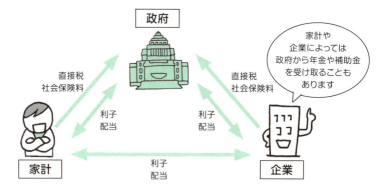

　こうして残ったのが、**支出**（☞ P.86）に回せる分です。家計は財やサービスを消費したり、企業は設備投資などをおこなったりします。

　消費して残った分を、貯蓄や投資などの**資金運用**に回す家計もあるかもしれません。これも支出のうちです。しかし、お金が足りない家計や企業は、逆に借入れなどの**資金調達**が必要になります。

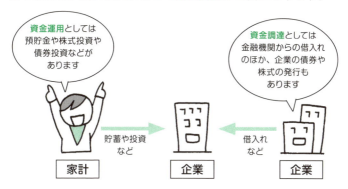

SNA

System of National Accounts、JSNA、国民経済計算、国民経済計算体系

　前項で見たようなマクロ的な経済活動を、数字でとらえるのが「**SNA**（**国民経済計算**）」です。**GDP**（☞P.26）などの計算方法を細かく定めたもので、さらにそこから**NDP**（**国内純生産**、☞P.182）や**NI**（**国民所得**、☞P.183）といった経済統計の指標も算出されます。日本をはじめ、世界の多くの国がSNAに従って計算し、公表しているので、各国のGDPなどを正しく比較することができるのです。

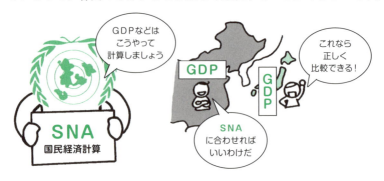

　日本のSNA（**JSNA**）は、内閣府の経済社会総合研究所がとりまとめています。計算方法の国際基準は国連で採択されているので、新しい基準が国連で採択されるとJSNAも改定が必要です。最近では2016年7〜9月期のGDP第2次速報から、2008年に採択された「**08SNA**」への改定がおこなわれています。それまでは1993年に採択された「**93SNA**」が用いられていました。

ＳＮＡのうち、マクロ的な経済活動の生産と所得の分配については、下図のような関係になっています。生産活動によって生み出された付加価値、すなわちＧＤＰが、政府への税金や、所得として分配されていくわけです。

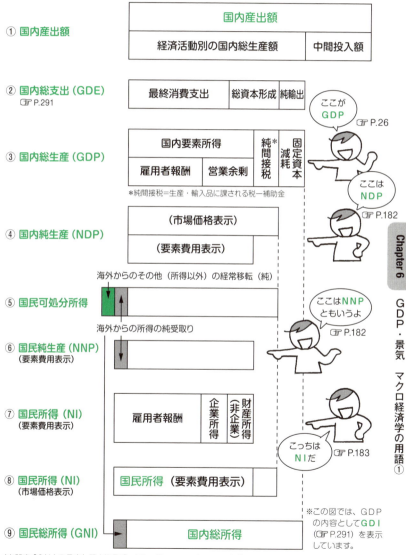

（内閣府「ＳＮＡの見方」図より作成　http://www.esri.cao.go.jp/）

フロー

　ＧＤＰは、ある「一定の期間」に生み出された付加価値の金額です。つまり、「○年○月○日から×年×月×日までの間に」とあらわされるわけです。このように「一定の期間」に増えたり減ったりした量をあらわすものを「**フロー**」といいます。

ストック

　しかし、フローの結果として、たとえば消費に回らなかった分の所得が貯金などの資産として貯まると、これは「**ストック**」になります。つまり、「○年○月○日の時点で」とあらわされる金額です。マクロ経済学では、フローとストックを区別して考えることが重要になります。

フローの代表的なものはＧＤＰですが、ストックの代表は「**制度部門別貸借対照表**」というものです。企業で、財務諸表の１つとして作成されるのと同様のものが、ＳＮＡで作成されます。「**制度部門**」とは**経済主体**（☞P.84）にあたるもので、ＳＮＡでは次の５分類です。

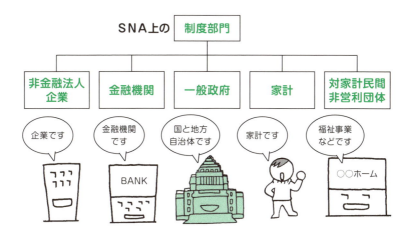

　簡単にいうと、前年末の制度部門別貸借対照表に、当年中のそれぞれのフローを足すことにより、当年末の貸借対照表ができます。

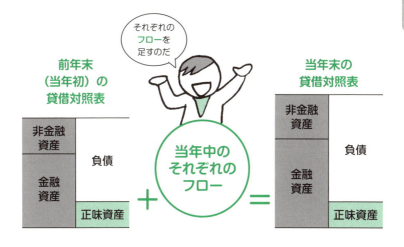

　資産の合計から負債を引いたものが「**正味資産**」で、国全体の正味資産は「**国富**」（☞P.274）と呼ばれます。

合成の誤謬
ごびゅう

　個別の具体的な話に入る前に、マクロ経済学では押さえておかなければならないことがあります。それは、ミクロ的に見て合理的な経済活動も、全体としてマクロ的に見ると、合理的な結果につながるとは限らない、ということです。たとえば、貯蓄を考えてみると……。

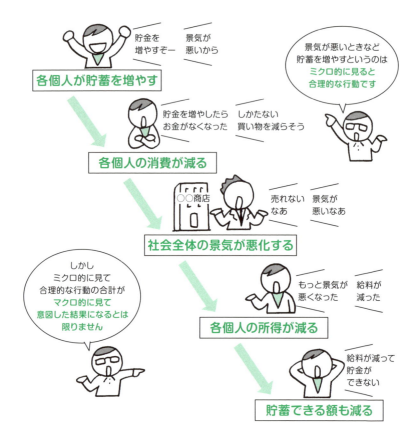

　このように、個人が貯蓄を増やすというミクロ的な経済活動は、経済全体として貯蓄が増えるという結果につながるとは限りません。貯蓄率は高くなっても、貯蓄額は増えないか、あるいは減ってしまうこともあるということです。こうした現象を「**合成の誤謬**」といいます。

名目GDP

それでは、具体的な経済統計の話に入りましょう。まずはGDP（☞P.26）の関連からです。GDPのうち、物価変動の影響を除いていないGDPを、とくに「名目GDP」と呼びます。

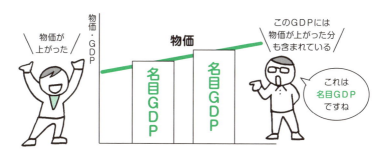

ところで、GDPには物価変動の影響以外にも、特殊なものが2つ含まれています。1つは「政府の活動により生み出された付加価値」。もう1つは、農家などの「自家消費」です。

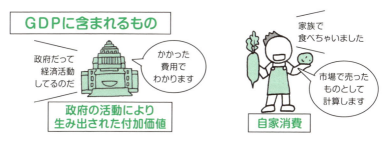

逆に、「キャピタル・ゲイン」（☞P.269）や「家事労働」などは、次のような理由でGDPには含めないことになっています。

実質GDP

名目GDPから、物価変動の影響を除いたものが「**実質GDP**」です。内閣府が発表するGDPや**速報値**（☞P.29）では、名目GDPと実質GDPの両方が同時に発表されます。実際の実質GDPの計算には、**GDPデフレーター**（☞P.186）が用いられます。

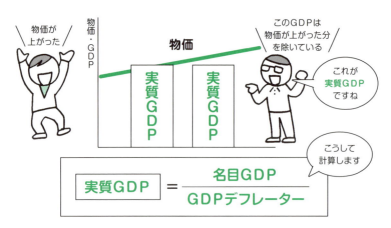

1人あたりGDP

GDPは国全体の付加価値を計算するので、人口の多い国ほど大きくなりやすくなります。そこで、国民の経済的な豊かさなどを見る場合に用いるのが、GDPを人口で割った「**1人あたりGDP**」です。国同士の比較や、ある国の経済的な豊かさの変化などがわかります。

三面等価の原則

GDPの三面等価の原則

　GDPは、生産活動により生み出された付加価値の総額ですが、生産されたものはすべて所得として分配されます。そして、分配されたものはすべて**支出**（☞P.86）されるわけです。つまり、生産と分配と支出の総額、すなわち**国内総生産（GDP）**、**国内総所得**（総分配＝**GDI**、☞P.291）、**国内総支出（GDE**、☞P.291）の額はすべて同じになります。これが「**三面等価の原則**」です。このことから、GDPのことをとくに「生産面から見たGDP」、GDIを「分配面から見たGDP」、GDEを「支出面から見たGDP」とも呼びます。

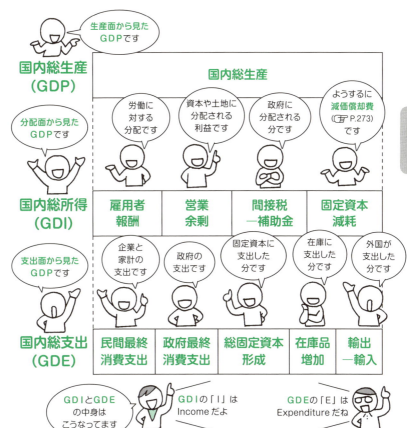

NDP 国内純生産、Net Domestic Product

前項の図のGDIを見るとわかるように、GDI＝GDPには**固定資本減耗**（☞P.275）が含まれています。これは古くなった設備などの価値の目減り分ですから、本来、付加価値ではないものです。GDPから固定資本減耗を引いた「**NDP**」が、本来の付加価値の総額です。

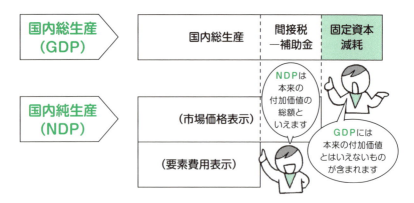

NNP 国民純生産、Net National Product

NDPの「要素費用表示」とは、生産要素に対して支払われる費用という意味で、間接税などを含みません。この要素費用表示に、日本の居住者が海外から受け取る所得と、海外の居住者に支払った所得の差の純所得を加えると、「**NNP（国民純生産）**」になります。

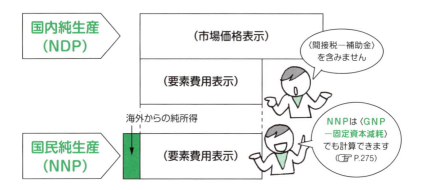

所得

経済学では、**生産要素**（☞P.117）を提供し、対価として受け取る収入のことを、狭い意味での「**所得**」といいます。つまり、労働の対価としての**賃金**、資本の対価としての**利子**、土地の対価としての**地代**などが、所得です。

NI　国民所得、National Income

そこで**SNA**（☞P.174）では、ＮＮＰの要素費用表示が国民の所得の合計「**ＮＩ（国民所得）**」の要素費用表示になります。ただし経済学では、要素費用表示に〈間接税−補助金〉を加えた、ＮＩの市場価格表示を、ＮＩとすることがあります。

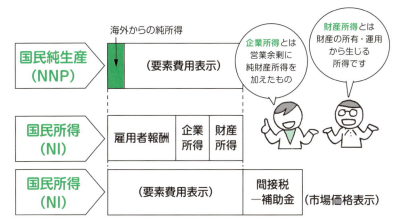

物価指数

名目ＧＤＰから、実質ＧＤＰを計算するように、経済統計には**物価**（☞P.33）も大きく影響します。物価の変動をあらわす指標が「**物価指数**」です。物価指数とは、ある時点の物価を100とし、それと比べてどれだけ物価が高いか、低いかをあらわす指標のことをいいます。

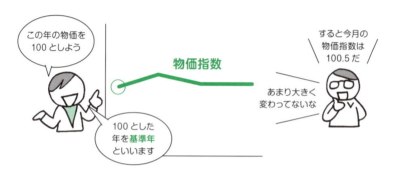

消費者物価指数　CPI、Consumer Price Index

物価指数のうち、最もなじみ深いのが「**消費者物価指数**」。家計が消費する500品目以上の、財やサービスをもとにした物価指数で、総務省が毎月発表します。全国と東京都区部の2種類が発表され、基準年は5年ごとに改定されます。2024年までは、2020年が基準年です。

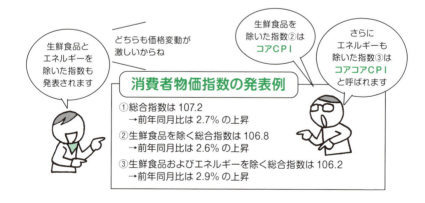

企業物価指数　CGPI、Corporate Goods Price Index

　一方、企業間で取引される、財やサービスの物価指数が「**企業物価指数**」。以前は「**卸売物価指数**」という名称でしたが、2003年から改称されました。生産者段階での価格が、重要度を増したためです。こちらは日銀が毎月発表し、下図の3種類の基本分類指数があります。

企業向けサービス価格指数　CSPI

　経済に占めるサービスの比重が増し、財の価格とともにサービスの価格が重要になったため、1991年から日銀が調査、発表を始めたのが「**企業向けサービス価格指数**」。金融、保険、不動産賃貸、運輸、情報通信、広告、リース、レンタルといったサービスが対象です。

GDPデフレーター

「**GDPデフレーター**」は、名目GDPから、**実質GDP**（☞P.180）を求めるときに使いますが、名目と実質のGDPの差は物価変動の影響ですから、GDPデフレーター自体も物価指数の1つです。GDPデフレーターがプラスならインフレ、マイナスならデフレとなります。

日銀が発表するGDPデフレーターは、名目GDPと、項目ごとの実質値から、数学的な方法で計算されていますが、名目GDPと実質GDPがわかれば、誰でもGDPデフレーターを計算できます。その理由は、実質GDPの計算式を変形してみるとわかります。

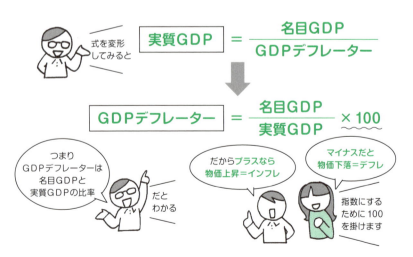

ハイパー・インフレ　ハイパー・インフレーション、超インフレーション

　ＧＤＰデフレーターが、プラスだと**インフレ**（☞ P.35）です。インフレは短い期間に、急激に進行することがあり、これをとくに「**ハイパー・インフレ**」と呼びます。ハイパー・インフレでは、ＧＤＰデフレーターが1,000、1万、10万といったレベルになります。

有名な**ハイパー・インフレ**は、第一次世界大戦後のドイツで起きたもの。敗戦後のさまざまな混乱から、物価は1兆倍に高騰し、パン1個が1兆マルクにまでなったという。

近年でも、2000年代のジンバブエで、独立後のさまざまな要因から**ハイパー・インフレ**が起こっている。2008年には、100兆ジンバブエ・ドル紙幣が発行された。

インフレ・ターゲット　インフレーション・ターゲティング

　政府や中央銀行は、安定的な経済成長に必要な、緩やかなインフレを起こすために、**インフレ率**（**物価上昇率**、☞ P.34）の目標（**インフレ・ターゲット**）を定めることがあります。多くは物価が高くなり過ぎることを防ぐ目的ですが、日銀の「**物価安定の目標**」（☞ P.34）の場合は、デフレ脱却が目的です。

近年では、1985年に**変動相場制**（☞ P.66）に移行したニュージーランドが、1988年に導入したインフレ率の目標が、世界で最初の**インフレ・ターゲット**とされている。

日銀は、目標ではなく「中長期的な物価安定の目途」として、2012年に当面1％と表明したが、2013年には「物価安定の目標」として2％を**インフレ・ターゲット**に定めた。

デフレ・スパイラル

　ＧＤＰデフレーターがマイナスだと、**デフレ**（☞P.35）です。デフレになると、企業の投資意欲や消費が冷え込み、それがさらに景気を後退させてデフレを加速させ、際限のない経済の悪循環におちいることがあります。「**デフレ・スパイラル**」と呼ばれる現象です。

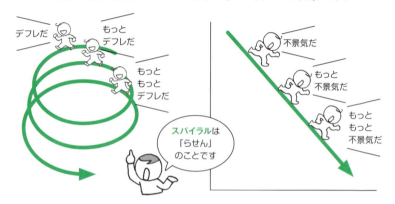

資産デフレ

　デフレが起こる原因の１つが「**資産デフレ**」です。株価や地価など資産の価格が下落することで、企業や家計が含み損を抱え、投資意欲や消費が減退することから起こるデフレです。例として、**バブル崩壊**（☞P.44）で株価と地価が暴落した1990年代の日本があげられます。

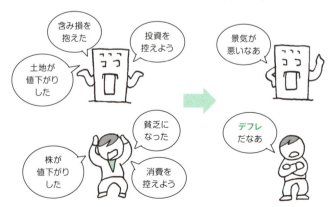

資産効果

ピグー効果

デフレが、逆に家計の消費を増やす効果を及ぼすこともあります。たとえば、家計が預金を持っていた場合です。デフレではモノの価値が下がり、お金の価値が上がりますから、預金の価値も上がり、実質的に家計のお金が増えたのと同じことになります（☞P.35）。そうすると……。

保有する資産の価値上昇により、消費や投資が増えること全般を、「**資産効果**」と呼びます。ですからデフレではなく、逆に株価や地価が上がって、消費や投資が増えるのも資産効果です。**アーサー・セシル・ピグー**（☞P.128）が提唱したので「**ピグー効果**」ともいいます。

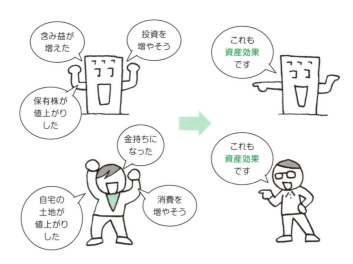

経済成長

ニュースなどでよく耳にする「**経済成長**」という用語も、ＧＤＰから説明できます。ようするに、時間の経過とともに経済が成長する＝経済が大きくなる＝ＧＤＰが増加する、のが経済成長です。マクロ経済学には「**経済成長理論**」（☞P.192）と呼ばれる分野があります。

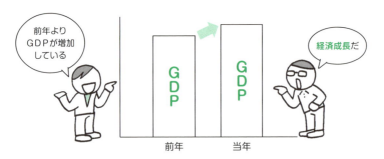

経済成長率

経済成長の度合をあらわすのが「**経済成長率**」です。通常は、ＧＤＰの年間の増加率を、パーセントであらわします。ＧＤＰではなく、ＮＩ（**国民所得**、☞P.183）で計算したり、四半期の増加率を計算することも可能です。

名目経済成長率

経済成長率をGDPで計算する場合、GDPには**名目GDP**（☞P.179）と**実質GDP**（☞P.180）がありますから、経済成長率も「**名目経済成長率**」と「**実質経済成長率**」が計算されます。物価変動の影響を除いていないのが名目経済成長率で、計算式は下図のとおりです。

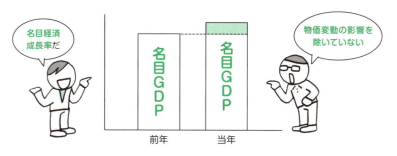

$$名目経済成長率 = \frac{当年の名目GDP - 前年の名目GDP}{前年の名目GDP}$$

実質経済成長率

しかし、経済成長率の表示としては、通常は物価変動の影響を除いた**実質経済成長率**のほうが用いられます。ですから、たんに「経済成長率」といったときは、実質GDPの対前年増加率をパーセントであらわしたもの、と考えてよいでしょう。計算式は下図のとおりです。

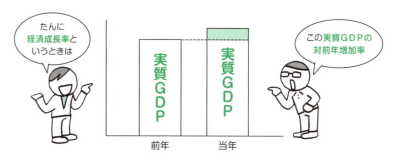

$$実質経済成長率 = \frac{当年の実質GDP - 前年の実質GDP}{前年の実質GDP}$$

経済成長理論

このような経済成長のメカニズム、原因の分析や解明をおこなうマクロ経済学の分野が、「**経済成長理論**」と呼ばれるものです。経済成長理論では一般に、下図の3つを経済成長の主な要因と位置づけます。近代の経済成長理論の創案者とされるのが、**シュンペーター**です。

経済発展の理論

もっとも、シュンペーターの主著のタイトルは、日本語にすると『**経済発展の理論**』。経済構造の変化なども含む点で、量的な変化を重視する経済成長とは少し異なります。シュンペーターが経済を変化させる要因として、最も重視したのが「**イノベーション**」（☞ P.267）です。

who's who

ヨーゼフ・シュンペーター（1883～1950年）
当時のオーストリア・ハンガリー帝国に生まれ、のちにアメリカ・ハーバード大学教授になった経済学者。主著『経済発展の理論』、『資本主義・社会主義・民主主義』など。

ハロッド＝ドーマー・モデル ハロッド＝ドーマー理論

経済成長理論を初めて体系的に整理したのは、**ロイ・ハロッドとエブセイ・ドーマー**という、2人の経済学者です。これ以降、数学モデルが多用されるので「○○モデル」と呼ばれます。ほかに「ソロー＝スワン・モデル」「フォン・ノイマンの多部門成長モデル」なども。

内生的成長モデル 内生的成長理論

近年、経済成長理論の分野で盛んに研究されているのが「**内生的成長モデル**」です。従来のモデルが、経済成長の要因の1つである技術進歩を説明できず、「外生的」としていたのに対し、技術進歩も経済活動の成果であり、要因はすべて「内生的」なものとする点が特徴です。

有効需要

　ＧＤＰは、経済成長の指標であると同時に、景気の指標でもあります（☞ P.26）。景気が、史上最悪といっていいほど落ち込んだ1930年代、世界恐慌の時代に、景気が変動するメカニズム、景気を拡大させる政策を提唱したのが、**ケインズ**です。ケインズは、**国民所得**（☞ P.183）など国民経済の水準を決めるのは「**有効需要**」だとしました。

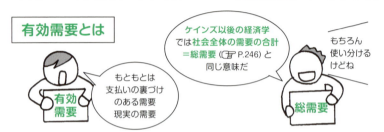

　この、有効需要がＧＤＰなどを決めるとする理論の前提には、需要と供給を一致させているのは価格でなく、短期的には生産調整など**供給量の調整**だという、**ケインズ経済学**（☞ P.260）の考え方があります。

who's who
ジョン・メイナード・ケインズ（1883〜1946年）
イギリスの経済学者。有効需要の原理などで、のちに「ケインズ革命」と呼ばれるほどの変革を、経済学にもたらした。主著『雇用・利子および貨幣の一般理論』など。

有効需要の原理

有効需要理論

　需要に合わせて、供給が調整されているとすると、社会全体の供給＝総供給も、社会全体の需要＝有効需要に合わせて調整されていることになります。これが「**有効需要の原理**」です。

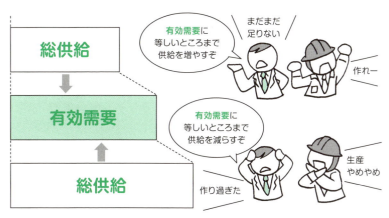

　そして総供給は、あとで説明するように国民所得に等しいものですから（☞P.197）、結局、有効需要がＧＤＰなどを決めることになります。

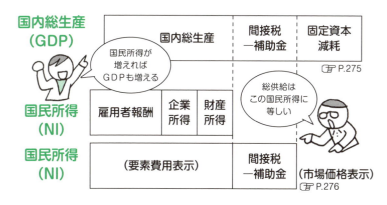

　ちなみに、有効需要の大きさがＧＤＰなどを決める——このことから、景気拡大のためには、何よりも需要を増やすべきという、**ケインズ政策**（☞P.226）が出てくるのですが、その話はまたあとで。

IS-LMモデル
IS-LM分析

　ケインズ経済学では「財市場」「貨幣市場」「労働市場」（☞P.247）という3つの市場を考えます。別に具体的な市場があるわけではなく、経済全体を、財やサービスの面から、貨幣の面から、労働の面からと、それぞれの市場として見るわけです。

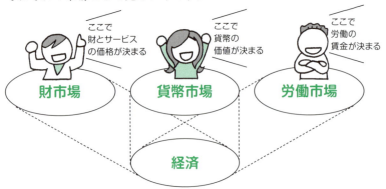

　ここで、財市場と貨幣市場で同時に均衡する、利子率と国民所得を求める分析手法が「IS-LMモデル」です。財市場と貨幣市場は密接に関係し、相互に影響しあっているので、両方で均衡する利子率と国民所得を求めることが重要なのです。

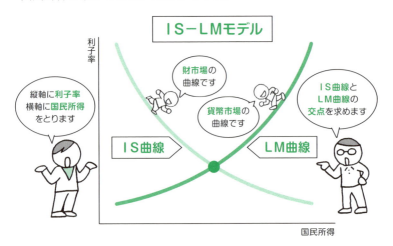

IS曲線

それでは「IS曲線」から見ていきましょう。IS曲線は、**財市場の需要と供給が均衡する、利子率と国民所得**をあらわしています。IはInvestment（投資）、SはSavings（貯蓄）のことです。でも、なぜ投資と貯蓄なのでしょうか。それは、**財市場の需要が消費と投資であり、供給が国民所得**だからです。

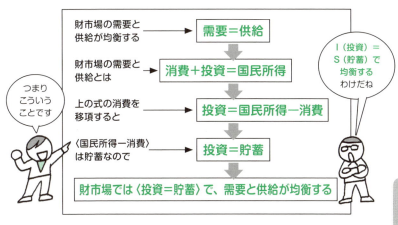

ところで、利子率が高いと、投資は減少するものです。需要の側で投資が減少すると、供給の側では国民所得が減少しないと、需給が均衡しません。そこで、IS曲線は右下がりの曲線になるのです。

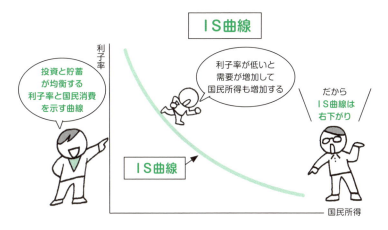

LM曲線

次に、「LM曲線」は、**貨幣市場**の需要と供給が均衡する利子率と国民所得をあらわす曲線です。Lは Liquidity preference（**流動性選好**、☞ P.262）、Mは Money Supply（**マネーサプライ**、☞ P.230）のことで、それぞれ貨幣の需要と供給を示します。

このように、貨幣の供給＝マネーサプライが変わらなければ、所得が増加すると貨幣の需要が増加して、利子率も上昇するわけです。一方、利子率が上昇すると貨幣の需要は減少しますが、所得は増加します。ですから、**LM曲線は右上がりの曲線**です。

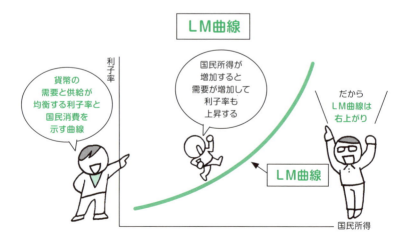

均衡国民所得

こうして、ＩＳ曲線とＬＭ曲線が交差する点において、財市場と貨幣市場で同時に均衡する国民所得と利子率が決まります。この交点の国民所得が「**均衡国民所得**」です。均衡国民所得は、たとえば政府の**財政政策**（☞P.31）などによっても変化します。

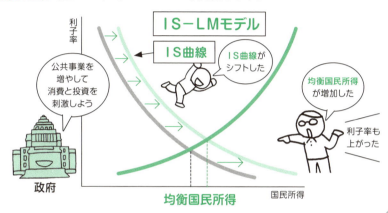

均衡利子率

一方、ＩＳ曲線とＬＭ曲線の交点における利子率が「**均衡利子率**」です。均衡利子率は、たとえば中央銀行が貨幣の供給を増減させるといった金融政策（☞P.32）をとると、ＬＭ曲線がシフトして変化することがあります。

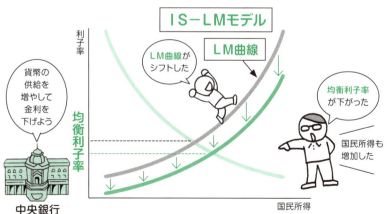

消費関数

　所得が増加すると、消費はどれくらい増加するのでしょうか。消費の水準を決める要素はいろいろ考えられますが、ケインズは所得の大きさが消費の大きさを決めると考えました。所得と消費の関係をあらわす式を「**消費関数**」といい、ケインズが考えたのは次の式です。

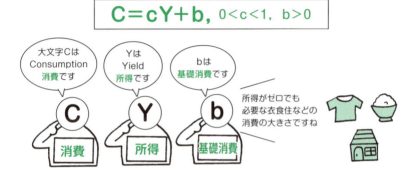

限界消費性向

　上の式で、小文字の c は、所得が増えたときの消費の増加分です。「**限界消費性向**」といいます。ケインズの式では、限界消費性向は $0 < c < 1$ ですから、所得が増えると消費は必ず増えるが、増えた所得の範囲内でしか増えない、という関係です。

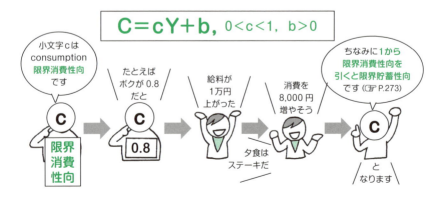

平均消費性向

ところで、ケインズの消費関数の式は、各項をYで割ると、次のように変形できます。ここでできた左側のC／Yは、消費／所得ですから、所得のうちどれだけが消費に回ったかをあらわす比率です。これを「**平均消費性向**」といいます。

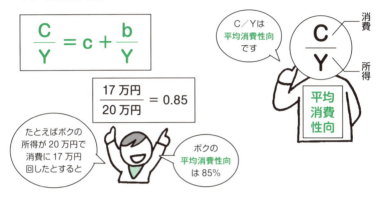

上の式の右側を見ると、所得Yが大きくなるほど、平均消費性向は低くなることがわかります。ためしに計算してみましょう。

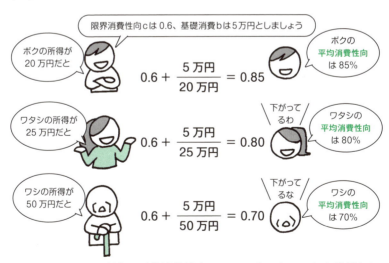

ところが、別の研究で平均消費性向はほぼ一定であることが発見され、ここから**消費関数論争**（☞P.278）というものが巻き起こるのです。

景気動向指数

　消費関数が重要なのは、たとえば支出面から見たGDP（☞P.181）のほぼ6割を占めるという消費の大きさにあります。ですから消費の動向は、景気（☞P.20）に大きな影響を与えます。景気の現状把握や、将来予測のために、各国の政府機関が調査・分析しているのが「景気動向指数」です。日本では、内閣府によって毎月発表されています。日本の場合は、29の指標から3つの指数が算出され、先行指数は景気の先行きの動きを示し、一致指数が現状をあらわし、遅行指数で景気の実感を確認するというのが、それぞれの役割です。

先行系列	一致系列	遅行系列
①最終需要財在庫率指数（逆サイクル）	①生産指数（鉱工業）	①第3次産業活動指数（対事業所サービス業）
②鉱工業用生産財在庫指数（逆サイクル）	②鉱工業用生産財出荷指数	②常用雇用指数（調査産業計、前年同月比）
③新規求人数（除学卒）	③耐久消費財出荷指数	③実質法人企業設備投資（全産業）
④実質機械受注（製造業）	④所定外労働時間指数（調査産業計）	④家計消費支出（勤労者世帯、名目、前年同月比）
⑤新設住宅着工床面積	⑤投資財出荷指数（除輸送機械）	⑤法人税収入
⑥消費者態度指数	⑥商業販売額（小売業、前年同月比）	⑥完全失業率（逆）
⑦日経商品指数（42種総合）	⑦商業販売額（卸売業、前年同月比）	⑦きまって支出する給与（製造業、名目）
⑧マネーストック（M2、前年同月比）	⑧営業利益（全産業）	⑧消費者物価指数（生鮮食品を除く総合、前年同月比）
⑨東証株価指数	⑨有効求人倍率（除学卒）	⑨最終需要財在庫指数
⑩投資環境指数（製造業）		
⑪中小企業売上げ見通しDI		

景気動向指数は3つあります

本当は6つ発表されるよ ☞P.204

景気動向指数	景気動向指数	景気動向指数
先行指数	一致指数	遅行指数

景気動向指数は、生産、雇用などさまざまな経済活動の指標から算出され、指標はおおむね**景気の１循環**（☞ P.206）ごとに見直されます。また、**コンポジット・インデックス（ＣＩ）**と、**ディフュージョン・インデックス（ＤＩ）**がありますが、指標は共通です。

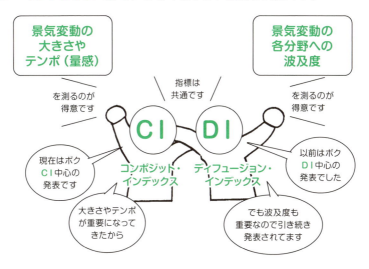

ＣＩ　Composite Index、コンポジット・インデックス

　「ＣＩ」は、構成する指標の動きを合成することによって、主に景気変動の大きさや、テンポ（量感）を測定することを目的にしています。たとえば、ＣＩ一致指数が上昇しているときは景気の拡大局面、下降しているときは後退局面といった具合です。

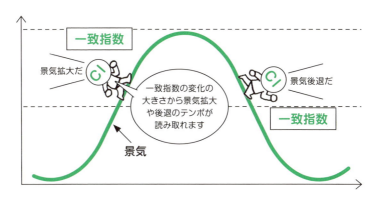

DI Diffusion Index、ディフュージョン・インデックス

「DI」は、改善している指標の割合を計算することによって、景気拡大の動きの各分野への波及度合い（波及度）を測定することを目的にしています。連続して50％を上回っているときは景気拡大、50％を下回っているときは景気後退などと判断する材料になります。

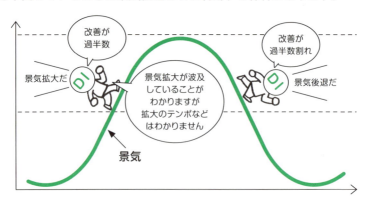

一致指数

　景気動向指数のうち「**一致指数**」は、景気の動きにほぼ一致して動きます。景気の現状把握のために利用される指数です。先行指数、遅行指数も同様ですが、ＣＩとＤＩの一致指数がそれぞれ発表され、先行、遅行と合わせて計**６つの景気動向指数**が発表されるわけです。

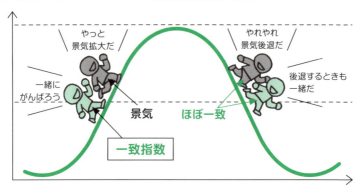

先行指数

一方、「**先行指数**」は景気に先行して動きます。一般に、一致指数より数ヵ月先行するので、景気の動きを予測するために利用される指数です。日本の場合、発表は他の指数とともに、速報値が翌々月の上旬ごろ、改定値が翌々月の中旬から下旬になります。

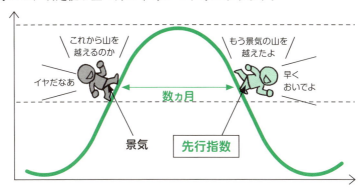

遅行指数

「**遅行指数**」は、景気の動きに対して遅れて動く指数です。一般的に、一致指数より数ヵ月から半年程度、遅行します。そのため、事後的な確認に用いられる指標ですが、先行指数や一致指数より、景気の回復や後退を実感として感じられるという一面もあります。

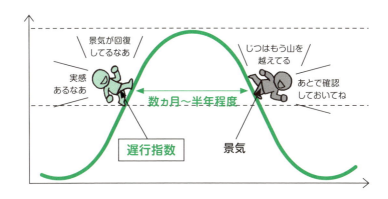

景気循環

景気変動、景気の波

　資本主義の市場経済では、景気は拡大したり後退したりを繰り返します。その周期的な景気の波が「**景気循環**」とか「**景気変動**」といわれるものです。景気を**好況**（☞P.22）と**不況**（☞P.23）に分ける考え方では、景気の谷から、次の景気の谷までが1循環になります。

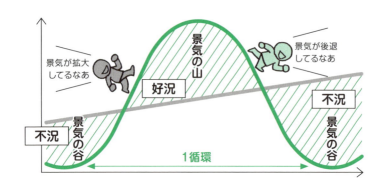

　景気が、一定の周期で規則的に循環するという考え方は「**景気循環論**」と呼ばれています。古典的な景気循環論として有名なのは、のちほど紹介する4つの波です。これらはそれぞれ長短の周期を持ち、それが複合的に重なって、実際の景気循環になっていると考えられます。

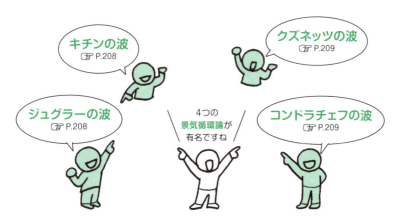

景気の山

　景気が、拡大局面から後退局面に転じるときが「**景気の山**」です。日本の場合、景気の山（と谷）は内閣府が発表する「**景気基準日付**」で知ることができます。これは、景気動向指数の一致系列（ＤＩ）からつくられる**ヒストリカルＤＩ**（☞P.284）に基づき設定された月です。

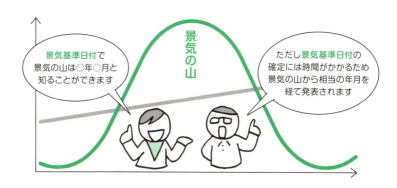

景気の谷

　一方、後退局面から拡大局面に転じるときが「**景気の谷**」です。日本の方式では、景気の谷から次の谷までを1循環ととらえます。1951年10月に終わりの谷を迎えた「第1循環」に始まり、2020年5月に「第16循環」の景気の谷となりました（内閣府による）。

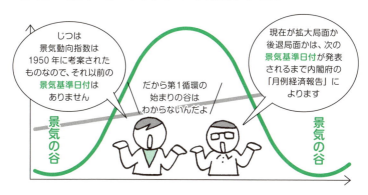

キチンの波　キチン循環、短期波動、小循環、在庫循環

　景気循環論には発見者の名前がついています。アメリカの経済学者**ジョセフ・A・キチン**が発見したのが「**キチンの波**」です。景気循環論では、周期と、循環の原因が説明されますが、キチンの波は **40ヵ月程度の短い周期**で、**企業の在庫の変動によって生じる**とされます。

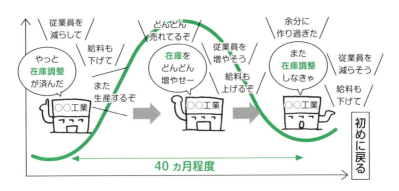

ジュグラーの波　ジュグラー循環、中期波動、主循環、設備投資循環

　次に、フランスの経済学者**クレマン・ジュグラー**が発見したのが「**ジュグラーの波**」です。キチンの波よりもやや長い **10年程度の周期**になります。この周期が、企業の設備の耐用年数に近いことから、**設備投資の変動が引き起こす景気循環**というのが定説です。

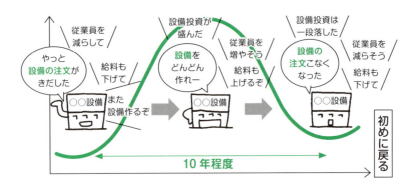

クズネッツの波   クズネッツ循環、建築循環

　ジュグラーの波よりも長い、**20年程度の周期**の循環が「**クズネッツの波**」です。アメリカの経済学者**サイモン・クズネッツ**が発見しました。20年という周期から、住宅や商業ビル、賃貸ビルなど、**建築物の建て替えやリフォームに起因する景気循環**と考えられています。

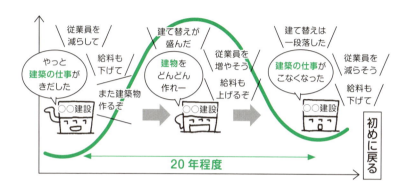

コンドラチェフの波   コンドラチェフ循環、長期波動

　旧ソ連の経済学者**ニコライ・コンドラチェフ**が発見した**50年前後の周期**の波が「**コンドラチェフの波**」。後に**シュンペーター**（☞ P.192）が、**技術革新に起因する景気循環**だとしました。たしかに産業革命期にあたる第1の波をはじめ、いずれも大きな技術革新があった時期です。

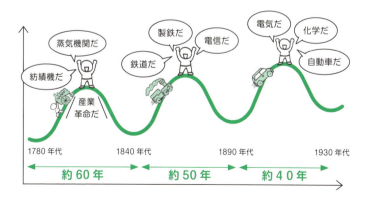

1分でチェック！ この章のポイント

- □ SNA（国民経済計算）は、マクロ的な経済活動を数字でとらえるもの。ここからGDP（国内総生産）、NDP（国内純生産）などが算出される。

- □ 物価変動の影響を取り除いていないGDPを、とくに名目GDPという（取り除いたものは、実質GDP）。

- □ GDP、GDI（国内総所得）、GDE（国内総支出）の額はすべて同じになる。これをGDPの三面等価の原則という。

- □ 物価の変動をあらわす指標を、物価指数といい、消費者物価指数、企業物価指数などがある。

- □ ケインズ経済学では、GDPなどを決めるのは、有効需要であると考える。

- □ ケインズ経済学では、財市場、貨幣市場、労働市場という3つの市場を考える。財市場と貨幣市場で同時に均衡する、利子率と国民所得を求める分析手法が、IS－LMモデルである。

- □ IS－LMモデルにおいて、財市場の需要と供給が均衡する、利子率と国民所得をあらわすのが、IS曲線。貨幣市場の需要と供給が均衡する、利子率と国民所得をあらわすのがLM曲線。

- □ 景気動向指数は大きく、先行指数、一致指数、遅行指数に分けられる。

- □ 周期的な景気の波を、景気循環といい、キチンの波、ジュグラーの波などが知られている。

who's who

エブセイ・ドーマー（1914～1997年）
ロシア系アメリカ人の経済学者。「ハロッド＝ドーマーモデル」の経済成長理論で知られる。

Chapter 7

政府・日銀
マクロ経済学の用語②

公共部門

　国を単位として、1つの制度や政策で運営されている経済を「**国民経済**」と呼びますが、国民経済は「**公共部門**」と「**民間部門**」に大別されます。公共部門とは、「**一般政府**」と「**公的企業**」のことです。このうちの一般政府を狭い意味での「**政府部門**」（☞ P.28）と呼びます。

民間部門

　それに対して「**民間部門**」とは、民間の企業や家計のことです。SNAの**制度部門**（☞ P.177）では、一般政府以外の民間の企業、機関、団体、それに家計が民間部門ということになります。金融機関以外の公的企業、公的金融機関は上図のように、じつは公共部門です。

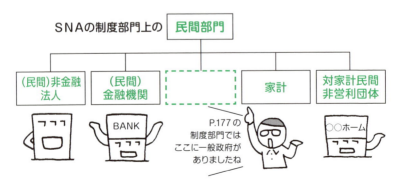

政府

中央政府

　公共部門の中心は「**中央政府**」、「**政府**」です。税金を収入として、公共サービスを提供するなど、さまざまな経済活動をおこないます。

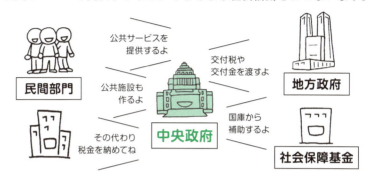

　前にもふれましたが、政府は**財政政策**を通じて3つの役割を果たしています（☞ P.31）。ここで、きちんと見ておきましょう。

資源配分機能

　市場経済では、どうしても資源が効率的に配分されないことがあります。これを是正するのが、政府の「**資源配分機能**」です。

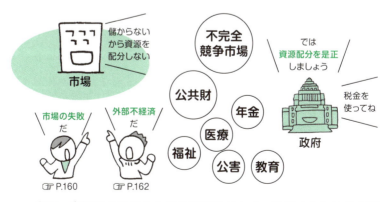

　一方で、資源配分はできる限り市場にまかせ、政府の介入は最小限にすべきだという「**小さな政府**」の考え方もあります（☞ P.225）。

所得再分配機能

市場経済では親の遺産の有無や本人の所得の多寡で、格差が広がることがあります。これを緩和するのが政府の「**所得再分配機能**」です。

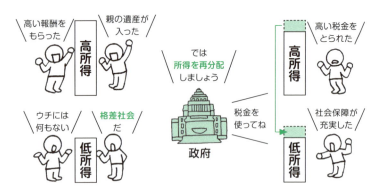

日本の所得税などには、あらかじめこうしたしくみが組み込まれています。**ビルト・イン・スタビライザー**と呼ばれるものです（☞P.216）。

経済安定化機能

景気循環による急激な変動を抑えて、経済が受ける悪影響を緩和するのが、政府の「**経済安定化機能**」です。

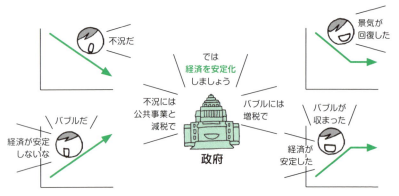

とくにケインズ経済学では、景気の拡大が必要なときは何よりも、**政府が有効需要を増やす政策をとるべき**だとしています（☞P.226）。

乗数効果

乗数プロセス

　不況時などに政府が公共投資や減税をおこなうと、その効果は支出や減税をした金額にとどまりません。何倍にもなるのです。これを「**乗数効果**」といい、その基礎となる「**乗数理論**」はケインズ経済学の基本の1つになっています。乗数効果のしくみを見てみましょう。

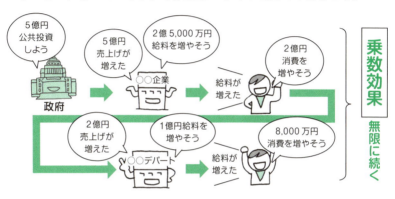

　ここでは公共投資を受注した企業だけを見ていますが、この効果は世の中に広く波及します。その結果、公共投資などをした金額の何倍も、国民所得が増えるのです。その倍率が「**乗数**」で、細かい説明は省きますが、乗数は次の式で求められます。

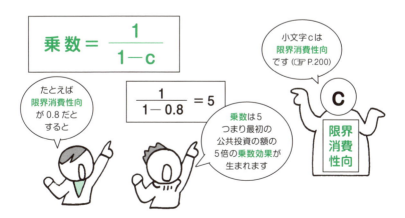

ビルト・イン・スタビライザー

built-in stabilizer、自動安定化装置

　一方、政府の財政には、景気の変動を自動的に調節する「**ビルト・イン・スタビライザー**」という機能も組み込まれています。すなわち、組込み式（ビルト・イン）の、景気の安定化装置（スタビライザー）です。たとえば、個人が納める所得税は、個人の所得が多いほど納税額が多くなり（**累進課税**、☞P.289）、企業が納める法人税は、企業の所得に比例して増えます。すると……。

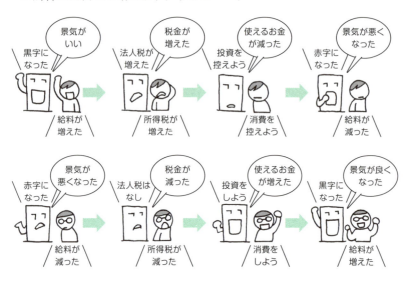

　このように、特別な政策を実行しなくても、自動的に変動を抑える方向に働くから、自動安定化装置なのです。税制のほか、雇用保険などの社会保障もビルト・イン・スタビライザーの1つとして働きます。

クラウディング・アウト

crowding out、クラウディング・アウト効果

　政府が財政支出を増やすと、**乗数効果**（☞P.215）によって何倍もの経済効果が生まれます。しかし一方では金利の上昇を招き、その分の民間投資などを抑えてしまうマイナスの効果も生じるのです。政府支出が、民間の投資を押し出す（**クラウディング・アウト**）わけです。

　クラウディング・アウト効果のしくみを見てみましょう。政府支出を増やすために政府が国債を発行すると、市場の金利が上昇します。その金利の上昇が、民間の投資や消費を減少させ、乗数効果を部分的に相殺してしまうのです。

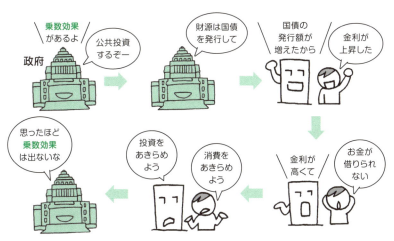

流動性の罠

クラウディング・アウトが起こらない状態も考えられます。ケインズが「**流動性の罠**」と呼んだ状態です。この状態では、金利が低い水準で動かなくなるので、国債を発行しても上昇しません。すると……。

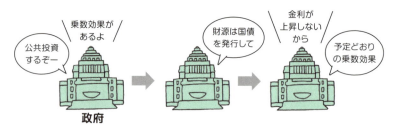

一方で、流動性の罠の状態では、それ以上**金利を引き下げる金融政策**（☞P.32）ができません。また、債券投資などをしても利子がほとんど得られないので、人は債券よりも**貨幣**（☞P.228）を持とうとします。そのため、**資金の量を調整する金融政策**（☞P.32）をとっても、お金は流通せず、通常の金融政策の効果がなくなってしまいます。

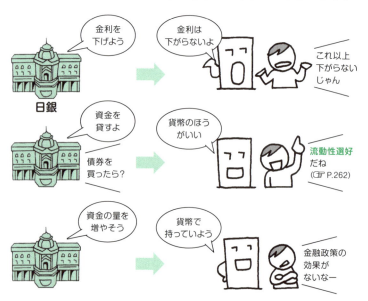

財政赤字

　不況時は税収も減るので、公共投資の財源は国債に頼ることが多くなります。国債は国の借金ですから、借金に頼る→「**財政赤字**」です。

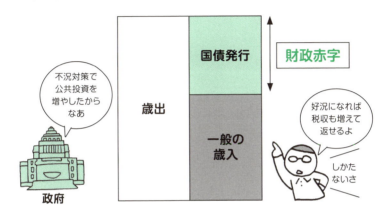

　ケインズ経済学では、公共投資などのための単年度の赤字はあまり問題にしません。しかし、**プライマリー・バランス**（☞P.30）の赤字、すなわち「**基礎的財政赤字**」は問題です。プライマリー・バランスは下図のように、国債関係の歳出と歳入を除いて計算します。これが赤字だということは、借金のために借金をして、さらに一般の歳出のために借金をしていることになるからです。

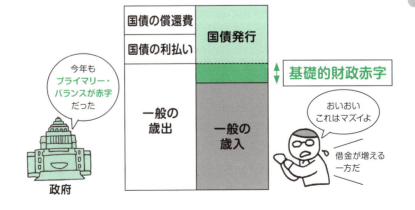

完全雇用財政赤字

ケインズ経済学では、**完全雇用**（☞P.226）が実現した場合の財政収支というものも考えます。これが赤字、すなわち「**完全雇用財政赤字**」も問題です。完全雇用が実現すると、国民所得が増えて税収も増えるはず。それでも財政赤字なのは、構造的な問題と考えられるからです。

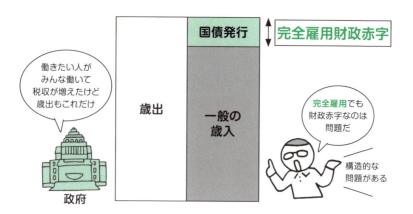

公債

いずれにしても、財政赤字の分は借金でまかなわれます。借金のために発行する国債と、地方公共団体が発行する地方債を合わせた呼び方が「**公債**」です。公債が減らないと、いずれ財政破綻するとか、公債は将来世代へのツケなどといわれますが……。

ドーマーの条件

ドーマー条件、ドーマーの定理

　公債を発行し続けても財政破綻しない——いい換えると、財政赤字の持続可能性については「**ドーマーの条件**」が有名です。簡単にいうと、**名目GDPの成長率**（☞P.191）が公債の名目利子率を上回っていれば、財政赤字が続いても財政破綻はしないということになります。

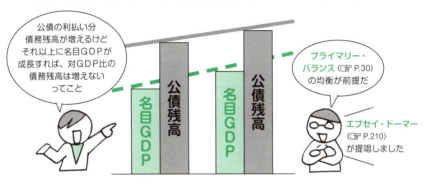

ボーンの条件　ボーン条件

　財政破綻をしない、もう1つの条件は、アメリカの経済学者**ヘニング・ボーン**が示した「**ボーンの条件**」です。これは前期の公債残高が対GDP比で悪化したときは、今後の**プライマリー・バランス**（☞P.30）を対GDP比で改善させ続ければよい、というものです。

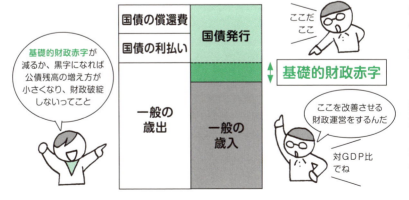

リカードの中立命題

リカードの等価定理

　一方、公債が将来世代へのツケにならないとする考え方は「**公債の中立命題**」と呼ばれます。公債の発行は消費行動などには影響を与えない、経済的に中立であるという意味です。なかでも、**デビッド・リカード**が唱えた「**リカードの中立命題**」は、公債の発行は増税と同じと主張します。これは世代をまたがないケースについての話です。

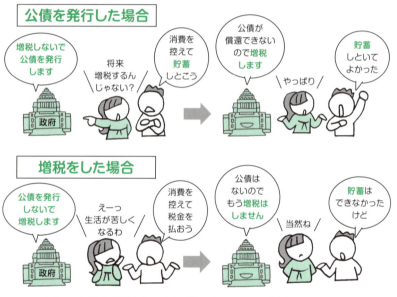

　つまり、公債を発行するか増税をするかは、増税をあとにするか、先にするかの違いだけで、ある世代の生涯で見れば、消費行動も税金の負担額も同じになる、というわけです。

who's who

デビッド・リカード（1772～1823年）

イギリスの経済学者。アダム・スミス（☞P.88）と並んで「近代経済学の創始者」とされる。著書に『経済学および課税の原理』など。

バローの中立命題

　それでは、1つの世代の間に増税がおこなわれず、公債の償還が先送りされて、世代をまたいだ場合はどうなるでしょうか。1970年代になって1つの答えを出したのが、米国の経済学者**ロバート・バロー**です。バローは、「遺産」というものの存在を指摘して、世代をまたいだ場合でも中立命題は成り立つとしました（**バローの中立命題**）。

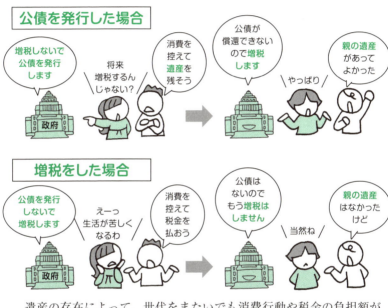

　遺産の存在によって、世代をまたいでも消費行動や税金の負担額が同じになるというわけです。2つの中立命題を合わせて「**リカード＝バローの中立命題**」「**リカード＝バローの定理**」と呼ぶこともあります。

レッセ・フェール

自由放任主義

　ここからは、経済主体としての**政府**が、どう行動するかという話です。ですから、ミクロ経済学の分野でもありますが、政府の話のつながりで進めます。近代経済学の父・**アダム・スミス**（☞P.88）は、著書『国富論』の中で「**政府は経済活動に干渉すべきでない**」と主張しました。これを「**レッセ・フェール**（**自由放任主義**）」といいます。

セイの法則

　アダム・スミス以後の**古典派経済学**（☞P.255）でも、このような考え方が続きました。その根拠になったのが「**供給は自ら需要をつくり出す**」という「**セイの法則**」です。価格の調整機能により、いずれ需要は供給と一致する、だから政府の介入は必要ない、というわけです。

224

小さな政府

　以上のような考え方からすると、政府は「**小さな政府**」であることが望ましいことになります。経済活動への介入をできるだけ減らし、その分、公務員や予算を縮小します。一方で、規制緩和を進め、民間にできることは民間に移管して、小さな政府を実現します。

大きな政府

　古典派経済学の考え方は、長らく経済学の主流でしたが、1930年代、世界大恐慌の時代になると、**セイの法則**では説明できないことが多くなります。そこに登場したのが**ケインズ経済学**です。市場は失敗することがある、そのときは「**大きな政府**」の出番だ、と主張しました。

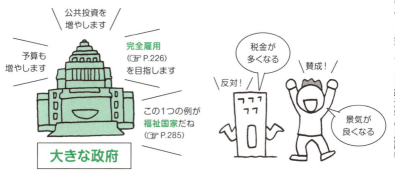

ケインズ政策

総需要管理政策

　ケインズが主張したのは、**有効需要の原理**（☞P.195）にもとづいて、政府が財政政策と金融政策で総需要を管理し、景気の調整や経済成長などを目指すことです。実際、第2次世界大戦後の世界各国は、こうした「**ケインズ政策**」により、高い経済成長率を実現しました。

完全雇用

　もう1つ、ケインズが重視したのが、**雇用**の問題です。失業を3種類に分類し、**非自発的失業**をなくして、**完全雇用GDP**（☞P.269）を実現すべきだというのが、ケインズ経済学の主張です。この理論は西欧諸国が**福祉国家**（☞P.285）を目指す、理論的支柱ともなりました。

シカゴ学派

しかし、1970年代になると、世界各国に**スタグフレーション**（☞ P.39）が広がります。各国は需要拡大で景気回復をはかりますが、失業者は減らず、インフレは進み、財政赤字は拡大する一方。そこに、**ミルトン・フリードマン**を中心とする「**シカゴ学派**」が登場します。

フリードマンたち、シカゴ学派の主張する財政政策は「**新自由主義**」、金融政策は「**マネタリズム**」と呼ばれます。フリードマンは世界各国の中央銀行に顧問として招かれたほか、アメリカのレーガン大統領やイギリスのサッチャー首相の経済政策にも大きな影響を与えました。

who's who

ミルトン・フリードマン（1912～2006年）

アメリカの経済学者。シカゴ学派のリーダー、マネタリズムの提唱者。1976年にノーベル経済学賞を受賞。著書に『資本主義と自由』など。

貨幣

　政府の役割に続いて、**中央銀行**の役割を見ていきましょう。中央銀行――日本でいえば**日本銀行**の役割のうち、私たちに最も身近なのは、お金、すなわち「**貨幣**」を発行することでしょう。貨幣には、次の3つの機能があります。

　上の例からもわかるように、一般に「**貨幣**」というときは、現金だけではなく普通預金なども含みます。これらは「**預金貨幣**」と呼ばれるものです。預金貨幣は、金（ゴールド）などの裏づけがない「**信用貨幣**」です。「紙幣＝日本銀行券」なども信用貨幣です。

管理通貨制度

貨幣は、「通貨」と呼ばれることもあります。法律により「強制通用力」を与えられた貨幣、という意味です。

通貨の発行は、第1次世界大戦頃までは、通貨と金（ゴールド）の兌換（引換え）を保証する「金本位制度」のもとでおこなわれていました。しかし世界恐慌（☞ P.279）以後、多くの国が金の保有量と関係なく通貨を発行する「管理通貨制度」に移行しました。これにより、通貨の発行量を調節することで、物価の安定や経済の成長などがはかれるようになりました。その一方で、通貨の増発によるインフレなどのリスクも新たに生まれています。

マネーサプライ

マネーストック、通貨残高、通貨供給量

　経済全体に供給されている通貨の総量を「**マネーサプライ（マネーストック）**」といいます。金融機関と中央政府を除いた、企業、家計、地方政府など（**通貨保有主体**）が保有する「**通貨残高**」のことです。通貨には、現金通貨のほか、預金通貨も含まれます。

　マネーサプライの「マネー＝通貨」をどこまで含めるかは、国や時代によっても異なりますが、日本銀行のマネーストック統計では次の4つの指標を作成、発表しています。対象通貨の範囲はM1が最も狭く、M2、M3と広くなって、広義流動性で最も広くなります。

準通貨☞ P.278
CD ☞ P.290
CP ☞ P.290

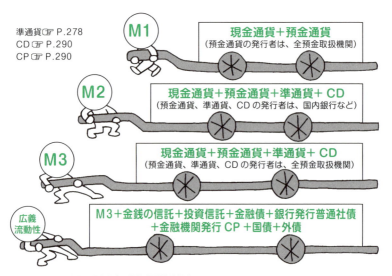

※現金通貨＝日本銀行券発行高＋貨幣（硬貨）流通高
※預金通貨＝要求払預金（当座、普通、貯蓄、通知、別段、納税準備）－調査対象金融機関保有小切手・手形
※居住者のうち、一般法人、個人、地方公共団体などの保有分が対象

230

マーシャルのK

Marshallian K

　マネーサプライ——供給されている通貨の量が適正かどうかは、**アルフレッド・マーシャル**（☞P.104）が考案した「**マーシャルのK**」と呼ばれる指標で見ることができます。この比率は、マネーサプライをＧＤＰで割って求めます。

　マーシャルのKは、ＧＤＰに対するマネーサプライの倍率ですから、値が大きいほど、市中にお金が多く出回っていることを示します。ですから、長期的なトレンドとの差を見たり、他国の値と比較して、マネーサプライが適正な水準にあるかを判断するわけです。

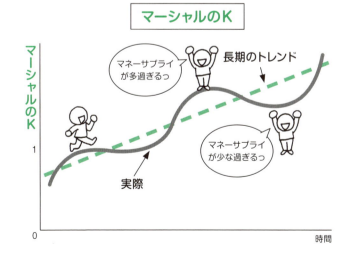

金融

　中央銀行はまた、**金融政策**（☞P.32）を通じて経済の調整をおこないます。「**金融**」とは、お金の融通――お金が余っているところから足りないところに、お金を貸すしくみのことです。たとえば、余剰資金のある家計から、資金不足の企業に投資や融資がおこなわれます。

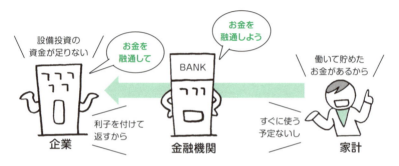

　中央銀行の金融政策は、どのようにおこなわれるのでしょうか。たとえば、中央銀行がマネーサプライを増やす政策をとった場合を、**IS－LMモデル**（☞P.196）で見てみましょう。通貨（貨幣）の供給が増やされると、利子率が下がり、国民所得が増えることがわかります。

ハイパワード・マネー

マネタリーベース、ベースマネー

「強い力の通貨」という意味の「**ハイパワード・マネー**」は、**信用創造**（☞ P.234）の働きを通じて何倍ものマネーサプライを生みだします。具体的には、中央銀行が発行した現金通貨と、市中銀行が中央銀行に預けている**準備預金**（☞ P.242）の合計をいいます。

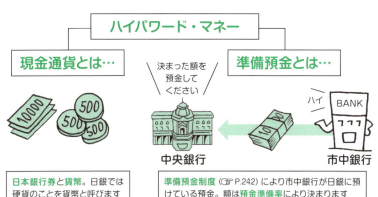

ハイパワード・マネーが重要なのは、中央銀行が直接、コントロールできる通貨の量だからです。現金通貨の量も、預金準備率も、中央銀行が決めることができます。そこで中央銀行は、この量をコントロールすることにより、マネーサプライを適正な水準に保つのです。

信用創造

　それでは、ハイパワード・マネーの何倍ものマネーサプライを生む「**信用創造**」とはどういうものか、そのしくみを見てみましょう。たとえば、ある銀行が 100 億円の預金を集めたとします。中央銀行に預ける預金準備率は、仮に 10% としましょう。すると……。

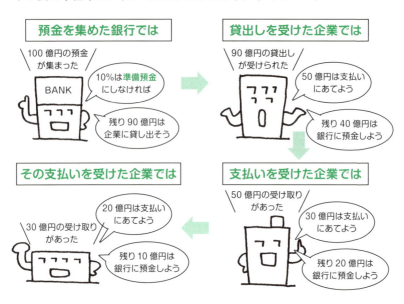

　これが繰り返されて、銀行が貸し出した 90 億円はすべて、最終的にどこかの銀行の預金になります。このとき、最初の銀行の預金は減っていません。つまり、預金＝預金通貨が 90 億円増えたのです。しかも、増えた 90 億円の大半は、また貸出しに回りますから……。

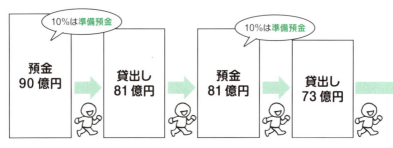

信用乗数　貨幣乗数

　こうして、当初の通貨の量の何倍もの預金通貨を生み出し、マネーサプライを大きくするのが信用創造です。マネーサプライがハイパワード・マネーの何倍になったかを示す比率を「**信用乗数**」といいます。

　しかし、企業や家計が現金の比率（**現金預金比率**、☞ P.273）を高めたり、銀行の貸し渋りが増えると、信用乗数は低下します。実際の信用乗数は、マネーサプライをハイパワード・マネーで割った値です。

中央銀行

　このように、通貨の供給を通して経済を調整するのが、「**中央銀行**」の金融政策です。あとで説明しますが、金融政策の手段には、大きく分けて「**価格政策**」と「**数量政策**」があります（☞ P.238）。金融政策のほかでは、次のような仕事が中央銀行の役割です。

日本銀行　日銀

　日本の中央銀行は「**日本銀行（日銀）**」であると、日本銀行法に定められています。日本銀行法が同時に定めているのが、日銀の２つの目的、すなわち「**物価の安定**」と「**金融システムの安定**」です。このことから日銀は、「物価の番人」「通貨の番人」と呼ばれています。

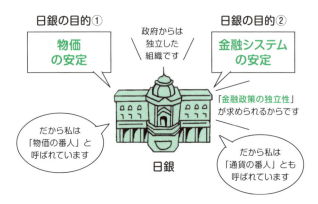

FRB Federal Reserve Board、連邦準備制度理事会

世界で最も有名な中央銀行が「**FRB**」です。**アメリカの連邦準備制度（FRS）**は複雑で、中央銀行業務は12ある**地区連邦準備銀行**がおこない、金融政策の決定などをFRBがおこないます。また、**公開市場操作**（☞P.240）は**連邦公開市場委員会（FOMC）**の仕事です。

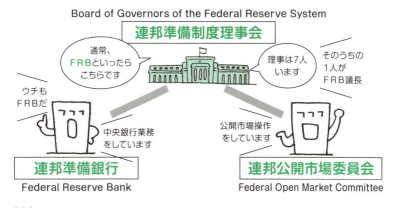

ECB European Central Bank、欧州中央銀行

一方、**ユーロ圏**（☞P.72）の金融政策を決めているのが「**ECB**」。本部はドイツのフランクフルトにあり、ユーロ未加盟国も含めた各国中央銀行と**欧州中央銀行制度（ESCB）**を構成しています。公開市場操作などは各国の中央銀行が自国の市場に対しておこなうしくみです。

政策金利

　中央銀行の金融政策の話に戻りましょう。金融政策の手段は、大きく分けると「**価格政策**」と「**数量政策**」に分けられます。価格政策は「**政策金利**」を操作するもの、数量政策は**公開市場操作**（☞ P.240）、**預金準備率操作**（☞ P.242）の2つです。

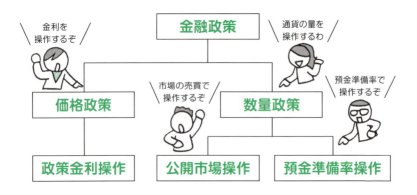

　中央銀行が、市中銀行に融資する際の金利が「**政策金利**」です。政策金利は預貯金やローンの金利に波及します。そこで、たとえば景気が過熱しそうなときに政策金利を上げると、通貨の供給が抑えられます。かつての日銀の「**公定歩合操作**」が、この例でした。

1994年に、市中銀行の金利が完全自由化され、公定歩合操作はできなくなります。かわりに日銀が政策金利としたのが、**短期金利**（☞P.38）です。具体的には、**無担保コールレート・オーバーナイト物**（☞P.287）の金利を、**公開市場操作**（☞P.240）の方法で誘導しました。

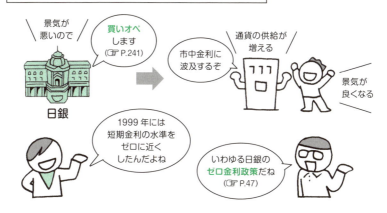

基準割引率および基準貸付利率

　2006年から公定歩合の名称は「**基準割引率および基準貸付利率**」となりました。操作目標が短期金利となり、公定歩合の意味が薄れたからです。そして2013年、**量的・質的金融緩和**（☞P.48）とともに操作目標はマネタリーベースに変わり、金利目標はマイナス金利へと向かいます。

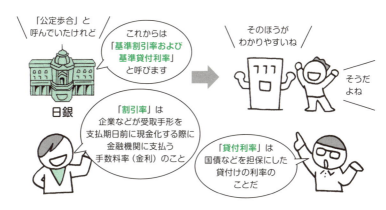

公開市場操作

オペレーション

　近年、日銀の金融政策の手段として最も重要になっているのが「**公開市場操作**」です。中央銀行が、債券や手形を市場で売買して、**通貨の量を操作**します。売ると、債券などと交換に通貨が中央銀行に集まり、市場の通貨が吸収されるわけです。買うと、通貨が供給されます。

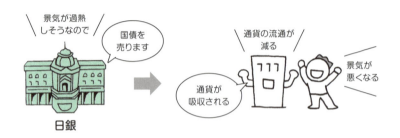

　公開市場操作は、通貨の量を調節するとともに、金利を上下させる効果があります。政策金利の調節のために、**無担保コールレート（オーバーナイト物）** の公開市場操作がおこなわれていたのは、そのためです（☞P.239）。この場合は、買うことで低金利へ誘導されていました。

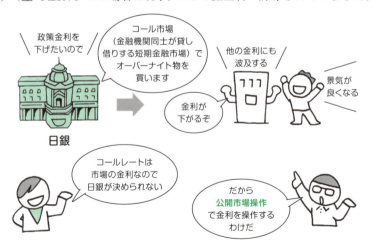

売りオペレーション　売りオペ、資金吸収オペレーション

公開市場操作は「オペレーション」ともいうので、売る操作を「**売りオペレーション**」といいます。日銀のホームページによると、2017年現在、次のようなものが「**売りオペ**」＝「**資金吸収オペレーション**」の対象になっています。

買いオペレーション　買いオペ、資金供給オペレーション

一方、買う操作は「**買いオペレーション**」です。「**買いオペ**」＝「**資金供給オペレーション**」は、売りオペレーションよりも多くの種類のものが対象になっています。その一部は次のとおりですが、なかには債券などを担保にした貸出しも含まれます。

日本銀行ホームページ「教えて！にちぎん」より一部抜粋して作成　www.boj.or.jp

預金準備率操作

法定準備率操作

　第3の金融政策の「預金準備率操作」は、「準備預金制度」を利用するものです。市中銀行などは、預かっている預金の一定比率以上を、中央銀行に預け入れなければならないことになっています。これが、準備預金制度です。もともとは、預金者の払戻し要求に対して、銀行が確実に応えられるように、この制度がつくられています。

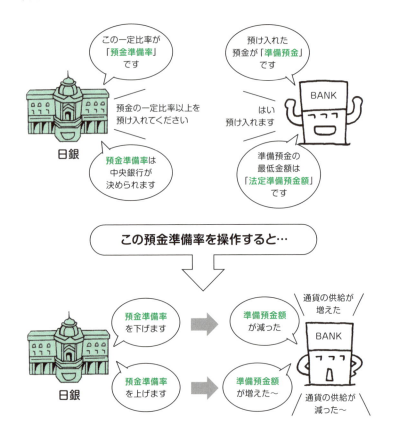

　しかし、金融市場が発達した国では、預金準備率操作の効果は限られてきます。実際、日銀の預金準備率も、1991年を最後に変更されていません。日銀の金融政策の中心は、やはり公開市場操作なのです。

金融システム

　日銀が、金融政策の目的の１つとするのが、**金融システムの安定**（☞P.236）です。「**金融システム**」とは、決済の制度や、金融機関が金融商品を取引する金融市場、それらに対する政府の金融規制や、中央銀行の金融政策を含めたすべてをいいます。

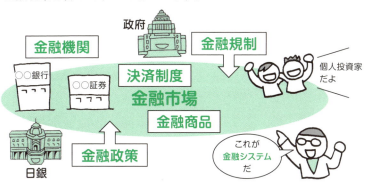

最後の貸し手　lender of last resort、ＬＬＲ

　金融システムが不安定にならないよう、預金者に対する**預金保険機構**（☞P.288）などの制度がつくられています。そして金融機関に対しては、「**最後の貸し手**」となるのが、中央銀行の重要な機能です。近年では、次のような中央銀行による「最後の貸し手」の例があります。

貨幣の中立性

貨幣の中立性命題

　中央銀行の金融政策については、大きく分けて2つの考え方があります。1つは、**ケインズ経済学**（☞P.260）の立場から、金融政策においても総需要の管理が有効だとするもの。もう1つは、**マネタリスト**（☞P.264）の立場から、金融政策は通貨の政策のみでおこなうべきだとするものです。

　2つの考え方の背景には「**貨幣の中立性**」の問題があります。貨幣の中立性とは、貨幣の量の増減は消費や投資、ＧＤＰの成長などには影響しない、経済的に中立であるとする考え方です。

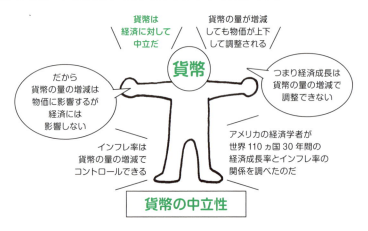

ケインズ経済学の立場は、短期的にはマネーサプライの増減が、消費や投資、ＧＤＰに影響して総需要を管理できると考えます。一方、マネタリストの立場は、貨幣の中立性から、マネーサプライの増減は物価に影響するだけで経済には影響を与えない点を重視します。

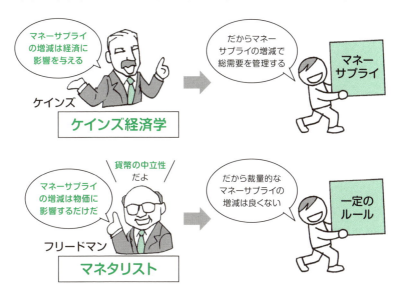

　結局のところ、「長期的に見れば貨幣の中立性は正しい」、「しかし、短期的に見ればマネーサプライの増減は、消費や投資、ＧＤＰなどに影響を与える、したがって総需要の管理に有効である」——現在では、そのように考えられています。

総需要

マクロ経済学の最後に、「**総需要**」と「**総供給**」について見ておきましょう。まず「**総需要**」は、すべての需要、総生産に対する需要ですから、**GDP**（**国内総生産**、☞P.26）に対する需要といえます。式では、次のようにあらわすのが一般的です。

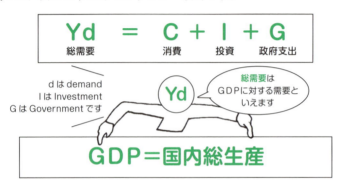

総供給

一方、「**総供給**」は、すべての供給ですから、ＧＤＰそのものといっていいでしょう。式では一般に下図のようにあらわします。総供給は**労働市場**の影響を受けるので、**総供給曲線**（☞P.248）は**財市場**と**貨幣市場**（☞P.196）だけでなく、**労働市場**まで範囲を広げたものです。

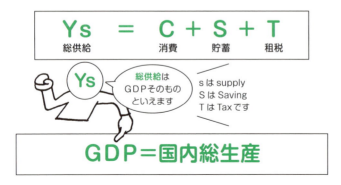

労働市場の均衡

そこで、労働市場の需要と供給について見てみましょう。労働市場でも、需要曲線は財市場などと変わりません。縦軸に賃金、横軸に雇用量をとると、右下がりの需要曲線になります。賃金が下がると労働の需要が増え、上がると労働の需要が減るわけです。

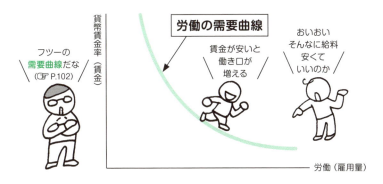

賃金の下方硬直性

一方、労働市場の供給曲線は、ケインズ経済学では下図のようになります。これは「**賃金の下方硬直性**」というものを考えるからです。一定以下の賃金に労働者は同意せず、その部分の供給曲線は水平になります。この供給曲線と需要曲線の交点が「**労働市場の均衡点**」です。

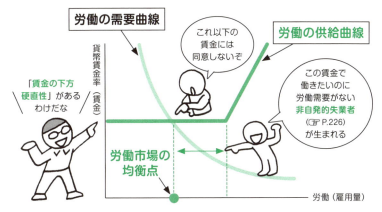

総供給曲線

Aggregate Supply curve、ＡＳ曲線

　そこで「**総供給曲線**」ですが、ケインズ経済学では、企業の利潤が最大化する物価水準とＧＤＰの関係をあらわします。価格が上がると企業は生産量を増やすので、総供給曲線は右上がりです。このとき、生産量が増えているので、労働市場の雇用量も増えています（☞P.247）。

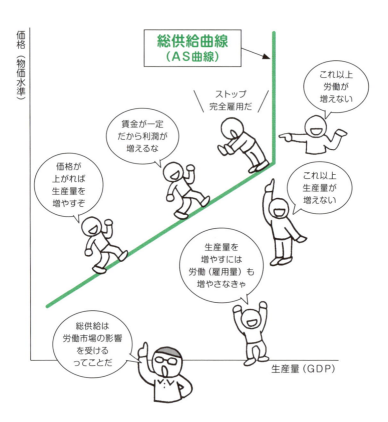

　価格が上がって生産が増えても、前項で見たように賃金はある水準まで一定なので、企業はさらに生産量を増やして利潤を増大させます。しかし、**完全雇用**（☞P.226）に達すると労働の供給がそれ以上増えなくなり、企業はそれ以上、生産量を増やすことができなくなるのです。

総需要曲線

Aggregate Demand curve、AD曲線

一方、「**総需要曲線**」は、**財市場**と**貨幣市場**（☞P.196）が同時に均衡する物価水準と、国民所得の関係をあらわすものです。簡単にいうと、総需要曲線は**ＩＳ曲線**（☞P.197）と**ＬＭ曲線**（☞P.198）から求められます。価格が下がると需要は増えるので、総需要曲線は右下がりです。

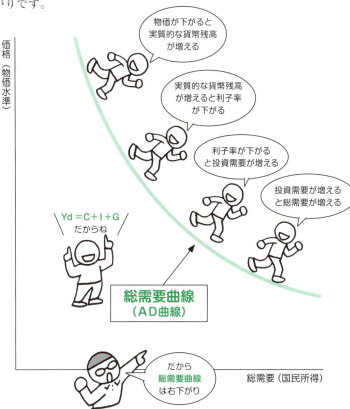

総需要 Yd は、消費 C ＋投資 I ＋政府支出 G ですが（☞P.246）、このうち消費と政府支出は、物価変動の影響を除いた実質であらわされるので影響がありません。**影響を受けて変化するのは投資**で、上図のように利子率の上下を通して総需要を変化させます。

AD－ASモデル

AD－AS分析、総需要総供給モデル、総需要総供給分析

　総需要曲線（ＡＤ曲線）と総供給曲線（ＡＳ曲線）を重ねてみましょう。交点が均衡点となり、**均衡価格**と**均衡GDP**を決めます。こうして物価水準とGDPが決まるわけです。このようにして、物価とGDPを説明するマクロ経済モデルを「**AD－ASモデル**」といいます。

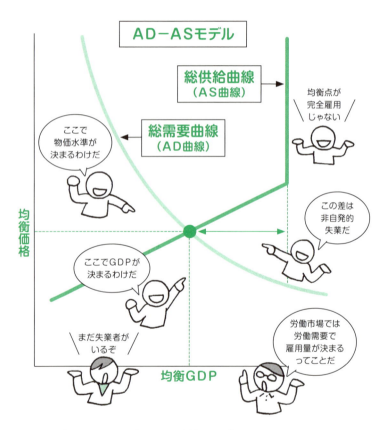

　総需要曲線は、ＩＳ曲線とＬＭ曲線から導かれているので、総需要曲線上にある**均衡点**で、**財市場と貨幣市場は均衡している**とわかります（☞P.249）。しかし、労働市場では完全雇用が実現しているわけではありません。上図からも、そのことがわかります。

　そこで、**財政政策**（☞P.31）と**金融政策**（☞P.32）の出番です。財政政策で政府支出が増えたり、金融政策で貨幣の供給が増えたりした場合の、AD-ASモデルの変化を見てみましょう。これらの政策によって、総需要曲線は右上方にシフトします。すると……。

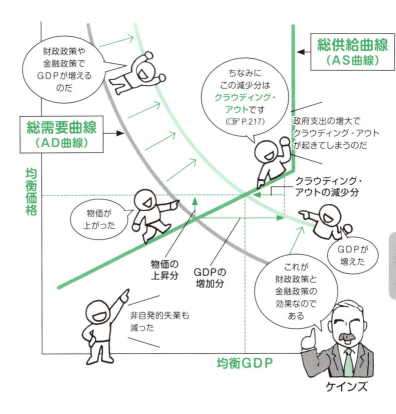

　このようにAD-ASモデルは、財政政策や金融政策をおこなった際の、効果を分析する場合などに用いられます。ケインズ経済学だけでなく、近代経済学の幅広い分野で利用されている、マクロ経済モデルなのです。

この章のポイント

- 政府が公共投資などをおこなうと、その金額の何倍も国民所得が増える。これを**乗数効果**という。

- 政府の財政には、景気の変動を自動的に調節する、**ビルト・イン・スタビライザー**（自動安定化装置）という機能が組み込まれている。

- 国の財政が、借金に頼っている状態が、**財政赤字**。とくにプライマリー・バランスの赤字、**基礎的財政赤字**は問題となる。

- 有効需要の原理にもとづき、政府が財政政策と金融政策とで総需要を管理し、景気の調節や経済成長などを目指すのが、**ケインズ政策**。

- 経済全体に供給されている通貨の総量を、**マネーサプライ**という。その量が適正かどうかを見る指標が、**マーシャルのK**。

- 中央銀行は、**ハイパワード・マネー**（マネタリーベース）をコントロールすることで、マネーサプライを適正な水準に保つ。

- 中央銀行の**金融政策**の手段には、政策金利を操作する**価格政策**と、公開市場操作などによる**数量政策**がある。

- 中央銀行が債券や手形を市場で売買する**公開市場操作**（オペレーション）には、通貨量の調節とともに、金利を上下させる効果がある。

- マネタリズムでは、貨幣の量の増減は消費や投資、ＧＤＰの成長などには影響せず、経済的に中立であるとする、**貨幣の中立性**という考え方がある。

- 総需要と総供給の関係から、物価やＧＤＰを説明するマクロ経済モデルを、**ＡＤ−ＡＳモデル**という。

who's who

ジャン・バティスト・セイ（1767〜1832年）
フランスの経済学者。「供給はそれ自身の需要をつくる」の一節で知られる「セイの法則」を提唱した。主著に『経済学概論』。

Chapter 8

経済学史の用語

重商主義
mercantilism

アダム・スミス（☞ P.88）以前、16世紀から18世紀ヨーロッパの絶対君主制国家では「**重商主義**」と呼ばれる経済思想が主流でした。簡単にいうと、商業（輸出）を重視して国を富ませようという考え方です。ここでいう富とは、主に金や銀と、それらの貨幣をさします。

重農主義　physiocracy

重商主義に反対の考え方もありました。18世紀後半のフランスでは、富は農業だけから生み出されるという「**重農主義**」が主張されます。

そして、重商主義による保護貿易が、自由競争による経済の発展を妨げているという批判は、**古典派経済学**へとつながるのです。

古典派経済学

古典派、古典学派、イギリス古典派経済学

　18世紀後半、産業革命後のイギリスで、最初の体系的な経済学が生まれます。**アダム・スミス**（☞ P.88）、**トマス・マルサス**、**デビッド・リカード**（☞ P.222）、**J・S・ミル**（☞ P.256）といった、歴史の教科書にも登場するイギリスの経済学者たちによる「**古典派経済学**」です。

　産業革命後という状況下で、古典派経済学は、経済社会が**地主**、**資本家**、**労働者**という3つの階級から成り立っていると考えました。そして、それぞれが**土地**、**資本**、**労働**を提供して、**地代**、**利潤**、**賃金**を得ていることから、富の生産と、その分配の問題を分析したのです。

who's who

トマス・マルサス（1766〜1834年）

イギリスの経済学者。主著『人口論』の中で、人口増加による食料不足から、貧困と悪徳が発生し、これが人口を抑制するというメカニズムと、その対策を説いた。

労働価値説

　古典派経済学はまた、人間の労働が価値を生むという「**労働価値説**」を唱えました。**アダム・スミス**は『国富論』で、富とは重商主義が重視する金や銀ではなく、労働であるとしています。労働の価値を高めるには、国家が経済活動に介入せず自由に競争をさせるべきだとも。

　一方、**リカード**は、スミスの労働価値説の一部を受け継ぎ、発展させました。また、自由競争については、とくに自由貿易を主張し、自由貿易によって自国も相手国も豊かになると説いたのです。貿易における**比較優位の原理**も、リカードが提唱したものです。

---

who's who

ジョン・スチュアート・ミル（1806～1873年）

イギリスの経済学者。アダム・スミスの経済学は、マルサスとリカードに継承されたが、それらすべてを集大成したのがミルとされる。主著『経済学原理』。

マルクス経済学

マルクス主義経済学、マル経

　古典派経済学の階級の考え方と、労働価値説を（批判的に）継承したのが**カール・マルクス**です。「**マルクス経済学**」は、労働者階級の労働力の価値（賃金）を超えて「**剰余価値**」が生み出され、これが資本家階級に搾取されて利潤、利子、地代になっていると主張します。

　マルクス経済学は、思想的には「**マルクス主義**」（☞P.287）となり、のちにロシアの革命家**ウラジーミル・レーニン**が、ロシア革命によって史上初の社会主義国家ソビエト連邦を樹立する思想的支柱になります。その後どうなったかは、みなさんよくご存知のとおり。

who's who

カール・マルクス（1818〜1883年）

ドイツの経済学者、哲学者。協力者のフリードリヒ・エンゲルスとともに、『共産党宣言』『経済学批判』『資本論』全3巻など多数の著作を残した。

新古典派経済学

　労働価値説や剰余価値説は、人間の労働が価値を生むと考えたのに対し、価値は**限界効用**（☞P.109）によって決まるとしたのが「**新古典派経済学**」です。そして、限界効用は逓減する（**限界効用逓減の法則**、☞P.109）ことも同時に指摘しました。

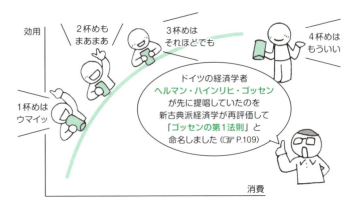

　家計の**効用**（☞P.94）だけでなく、企業の生産についても**限界生産**（☞P.118）と、**限界生産逓減の法則**（☞P.118）が考えられます。消費を2倍にすれば効用も2倍になるわけではなく、労働を2倍にすれば生産量も2倍になるわけではない、というわけです。

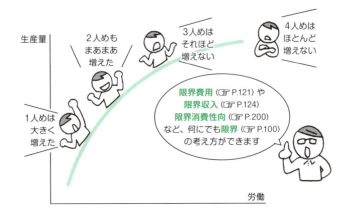

限界革命

　限界の考え方は、経済学に大きな変革をもたらしたので「**限界革命**」と呼ばれました。この革命は1人の人物によって起こされたのではありません。じつは1870年代のほぼ同時期に、オーストリアとフランス、イギリスの3人の経済学者が限界効用に関する理論を発表したのです。

一般均衡理論　一般均衡分析

　新古典派経済学は、数学的な分析を発展させたことも特徴です。たとえば、限界革命の経済学者の1人でもあるフランスの**レオン・ワルラス**が創始した「**一般均衡理論**」は、市場全体として、価格と需給が一致する点で均衡するプロセスや条件を、数学的に説明します。

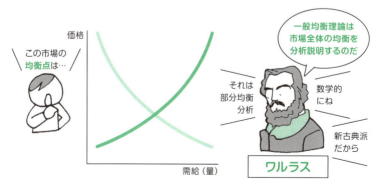

ケインズ経済学

そして新古典派経済学は、1930年代に**世界恐慌**（☞ P.279）の時代を迎えます。それまでの新古典派は、経済政策としては相変わらず**セイの法則**（☞ P.224）を支持していました。いずれ需要は供給に等しくなるから、経済のことは市場に任せておけばよい、というわけです。

そこに登場したのが新古典派の1つ、ケンブリッジ学派に属していた**ケインズ**です。失業の問題を**非自発的失業**（☞ P.226）と**賃金の下方硬直性**（☞ P.247）で説明し、政府による有効需要の創出が**乗数効果**（☞ P.215）を生み出すという**ケインズ政策**（☞ P.226）を主張しました。

ケインズ革命

こうして、ケインズが唱えた主張は「**ケインズ革命**」と呼ばれることになりました。もっとも、何をもってケインズ革命とするかは意見の分かれるところですが、**有効需要の原理**と、それに**流動性選好**（☞ P.262）がケインズ経済学の柱であることは間違いないでしょう。

デマンドサイド経済学　需要サイド経済学

ケインズ経済学は、それまで供給を重視してきた経済学から一線を画し、需要に働きかける政策を重視して分析することから、「**デマンドサイド経済学**」とも呼ばれています。ようするに、ＡＤ－ＡＳモデル（☞ P.250）で、総需要曲線を右上方にシフトさせるわけです。

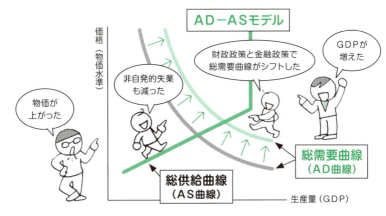

流動性選好 流動性選好説

ところで、総需要 Yd を変化させるのは消費C＋投資Ｉ＋政府支出Gのうち、投資Ｉです（☞P.249）。投資Ｉは利子率の影響を受けるので、利子率の動きを分析しなければ総需要の変化はわかりません。それを説明するのが、ケインズ経済学の「**流動性選好**」です。

人々が利子を生む債券などよりも、流動性が高い貨幣を持つことを好むのが「流動性選好」です。なぜ、貨幣のほうを好むのでしょうか。

このように、変化する流動性選好＝貨幣の需要と貨幣の供給が均衡する点で、利子率が決まるというのが流動性選好の説なのです。

新自由主義

ネオリベラリズム

1970年代、世界にスタグフレーションが広がると**ケインズ政策**（☞ P.226）は行き詰まります。代わって台頭するのが、フリードマンを中心とする**シカゴ学派**（☞ P.227）です。フリードマンたちはケインズ政策を批判し、「**新自由主義**」と呼ばれる経済政策を提唱しました。

サプライサイド　供給サイド

総需要管理政策を批判する新自由主義が、代わりに重視するのが、供給面です。規制緩和や減税で生産活動や投資を活発にし、生産力と供給を拡大しようというわけです。同様に、供給面の分析を重視する「**サプライサイド経済学**」と呼ばれる学派もあります。

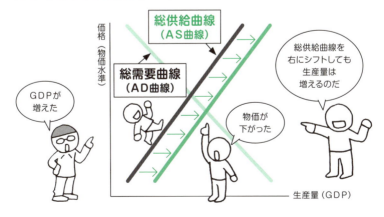

マネタリズム

フリードマンの唱える金融政策は「マネタリズム」といいます。マネタリズムを支持する人が、マネタリストです。マネタリズムは、物価や名目国民所得を変動させる主な要因が、貨幣の量、すなわちマネーサプライだと考えます。そこから……。

貨幣数量説

このマネタリズムの学説は、古典派経済学（P.255）の貨幣理論だった「貨幣数量説」を現代に復活させたものです。

しかし、1990年代からの世界的な不況に、マネタリズムはうまく対処できず、ケインズ経済学を見直す動きにつながりました。

行動経済学

　経済学の近年の動きで、大きな注目を集めているものに「**行動経済学**」があります。心理学的な観察を、経済学の数学的なモデルにとり入れ、人間の非合理的な経済的行動を説明しようとするものです。近年ではさまざまな分野への応用も進んでいて、たとえば次のような例が知られています。

　このような功績も認められてか、行動経済学の分野からはすでに何人ものノーベル経済学賞受賞者が選ばれています。経済学にはまだまだ、私たちの知らない可能性が秘められているといえそうです。

この章のポイント

1分でチェック!

☐ 18世紀後半、英国で生まれた最初の体系的な経済学を、**古典派経済学**という。人間の労働が価値を生むという、**労働価値説**を唱えた。

☐ 1870年代になると、価値は**限界効用**によって決まるとする、**新古典派経済学**が起こる。限界の考え方は経済学に大きな変革をもたらした。

☐ 1930年代の世界恐慌を経て、有効需要の原理と流動性選好という2つの考え方を柱とする、**ケインズ経済学**が登場する。

☐ 政府による有効需要の創出に主眼をおく**ケインズ政策**は、やがて行き詰まりを見せ、代わってフリードマンを中心とするシカゴ学派による、**新自由主義**と呼ばれる経済政策が提唱された。

who's who

レオン・ワルラス（1834〜1910年）
「一般均衡理論」で知られるフランスの経済学者。スイス・ローザンヌ大学で教鞭をとり、1870年代に大著『純粋経済学要論』などにより「限界効用理論」を提唱した。

〈巻末付録〉経済用語事典

あ行

赤字国債 （マクロ経済）　財政赤字 ☞P.219

　歳入の不足を補うために発行する国債。特別の法律をつくって発行するため、正式には「特例国債」というが、俗に赤字国債とも呼ぶ。特例国債でない国債には、公共事業費のための「建設国債」のほか「復興債」「借換債」がある。

いざなぎ景気 （日本経済）　失われた30年 ☞P.45

　1965年11月から70年7月まで、57ヵ月続いた景気拡大局面に付けられた呼び名、俗称。それ以前、54年から57年の景気拡大は、日本が始まって以来（神武天皇以来）の好景気という意味で「神武景気」と呼ばれ、58年から61年の景気拡大は、天の岩戸神話の時代以来ということから「岩戸景気」と呼ばれていた。さらに古い、イザナギノミコトの国生み神話の時代以来という意味で、名付けられている。

いざなみ景気 （日本経済）　失われた30年 ☞P.45

　2002年2月から2008年2月まで、73ヵ月続いた景気拡大局面の俗称。いざなぎ景気を16ヵ月上回ることから、国生みの女神であるイザナミノミコトの名前をとっている。内閣府の景気基準日付（☞P.207）では第14循環の拡大局面に該当。ちなみに、神武景気は第3循環、岩戸景気は第4循環、いざなぎ景気は第6循環にあたる。

イノベーション （マクロ経済学）　経済発展の理論 ☞P.192

　日本語では「技術革新」と翻訳されることが多いが、シュンペーター（☞P.192）が示したイノベーション（innovation）の分類では、産業技術の分野に限っていない。次の5つの分類が示されている。①新しい生産物の実現、②新しい生産方法の導入、③新しい産業組織の創出、④新しい販売市場の開拓、⑤新しい仕入先の確保。

インバウンド消費 　[日本経済]　外需 ☞P.28

　インバウンド（inbound）は訪日外国人客をあらわす観光用語。訪日外国人客による、日本国内での消費のこと。ＧＤＰ統計では輸出に含まれるため、外需（☞P.28）になる。訪日外国人の数は「訪日外客数」（☞P.286）で知ることができる。

円借款 　[国際経済]　ODA ☞P.292

　「借款」とは、国際的な資金の貸借のこと。円借款は日本政府が途上国のインフラ整備などのために低利、長期で貸し出す資金。近年はODA（☞P.292）の一部として、ＪＩＣＡ（☞P.292）が貸付けている。

欧州委員会 　[マクロ経済]　ＥＣＢ ☞P.237

　European Commission、「ＥＣ」。「ＥＵ委員会」「ヨーロッパ委員会」「ヨーロッパ連合委員会」などともいう。ＥＵの行政執行機関。加盟国から選ばれる各１名の委員で構成されている。

オークンの法則 　[マクロ経済学]　失業率 ☞P.276

　実質ＧＤＰ（☞P.180）が増加するほど失業者が減少するという法則。すなわち、実質ＧＤＰ成長率が上昇すると、失業率が低下する。アメリカの経済学者アーサー・オークンが提唱したが、理論的な説明というよりも経験的な観察によるため、「オークンの経験則」とも呼ばれる。

か行

可処分所得 　[マクロ経済]　所得 ☞P.183

　ミクロ的に見ると、収入から税金や社会保険料などを差し引いた残りのことをいい、それぞれの家計が自由に処分＝使える所得のこと。マクロ的には、ＳＮＡ（☞P.174）において国全体の可処分所得、すなわち「国民可処分所得」が計算される。

為替ダンピング 　[国際経済]　外国為替相場 ☞P.65

　外国為替相場を自国通貨安に導き、輸出の促進をはかること。自国通貨安になると実質的に輸出品の値下げになるので、ダンピングという用語が使われる。変動相場制（☞P.66）では、為替相場の変動によって

結果的にあらわれるが、1930年代の世界不況の際には、各国が輸出促進の手段として政策的におこなった。

完全雇用GDP 〔マクロ経済学〕 完全雇用 ☞P.226

完全雇用が実現しているときのGDP。完全雇用は失業率0％でなく、一定の摩擦的失業（☞P.226）を含むので、完全雇用GDPの推計にはさまざまな考え方がある。

完全失業率 〔マクロ経済〕 失業率 ☞P.276

日本の失業率を示す指標。労働力人口に占める、完全失業者の割合を計算する。完全失業者とは、総務省ホームページによれば「仕事についておらず、仕事があればすぐにつくことができる者で、仕事を探す活動をしていた者」。完全失業率は、総務省が「労働力調査」で毎月、発表している。

機械受注統計 〔日本経済〕 景気指標 ☞P.24

「機械受注」は、機械メーカーが受注した設備投資用機械の受注額の合計。代表的な景気の先行指標で、景気動向指数（☞P.202）でも先行系列の1つとして採用されている。内閣府が毎月、「機械受注統計調査」をおこなって公表している。

キャピタル・ゲイン 〔マクロ経済〕 GDP ☞P.179

価格が変動するものを購入し、売却したときの差益。株式や債券のほか、不動産や貴金属などでキャピタル・ゲインが得られることがある。生産活動により生み出された付加価値ではないので、GDPには含まれない。差損になった場合は「キャピタル・ロス」。

業況判断指数 〔日本経済〕 短観 ☞P.25

「業況判断DI」ともいう。企業の景況感（☞P.271）を数値化した指標。景気が良いと答えた企業の割合から、景気が悪いと答えた企業の割合を引いて求める。全企業が良いと答えた場合は100、良いと悪いが同数ならゼロ、悪いと答えた企業が多ければマイナスになる。マイナスからプラスに転じれば景気は上向き、などと判断が可能。日銀の短観の中心的な指標になっている。

金融緩和 〔日本経済〕 金融政策 ☞P.32、47

　経済を好況に導くためにおこなわれる金融政策。金利の水準を引き下げる政策と、供給する資金の量を増やす政策が代表的。

金融規制 〔日本経済〕 日本版金融ビッグバン ☞P.46

　金融システムの安定などのために、政府が金融市場や金融取引、金融機関などのルールを定め、一定の制限を加えること。金利の上限を定めたり、取引を制限したり、金融機関の業務を限定したりする。この規制を縮小したり、撤廃するのが「（金融）規制緩和」。

金融経済 〔マクロ経済〕 金融 ☞P.232

　「資産経済」「マネー経済」ともいう。実体経済（☞P.277）から派生した金利やキャピタル・ゲイン（☞P.269）により成り立つ経済。金融取引、信用取引、オプション取引など。ＧＤＰ（☞P.26）に含まれない。

金融引き締め 〔日本経済〕 金融政策 ☞P.32

　景気が過熱したときなどに、抑制する方向に導く金融政策。金融緩和と逆に、金利の水準を引き上げ、供給する資金の量を減らす。

金融持株会社 〔日本経済〕 日本版金融ビッグバン ☞P.46

　持株会社とは、子会社の支配、管理を業務とする会社で、以前は独占禁止法で禁止されていたのが、1998年の法改正で解禁された。これにより、銀行、証券、保険会社などが金融持株会社を設立することが可能になり、○○フィナンシャルグループや○○ホールディングスといった巨大金融グループが誕生した。

グローバル・バリュー・チェーン 〔国際経済〕

　一般的に製造業の国際分業の形態の1つ。企画・開発・設計・部品製造などを先進国で行い、組み立てを人件費の安い途上国などで行うケースが代表的。立地条件の異なる複数の国にまたがることにより、コストの削減、生産工程の最適化などが期待できる。

計画経済 〔経済学の基本〕 市場経済 ☞P.87

　労働以外の生産要素を政府が所有し、政府が資源配分の計画を立てて

運営される経済。旧ソ連などの社会主義国がおこなったので「社会主義計画経済」ともいう。対照的なのは、資源配分を市場メカニズムに任せる「市場経済」。ただし、第2次大戦後の資本主義先進国の多くは、市場の失敗（☞P.160）を財政政策により調整する政策をとってきたので、完全な市場経済とはいえない。それを「混合経済」（☞P.275）と呼ぶこともある。

景気ウォッチャー調査　[日本経済]　景気指標 ☞P.24

内閣府が2000年からおこなっている景気動向調査の1つ。タクシー運転手、小売店店長、自動車ディーラーといった職業の人に「景気ウォッチャー」になってもらい、アンケートをおこなう。アンケートの回答により、生活実感から景況感（☞次項）を調査する。景気の現況、先行きなどは5段階評価され、結果は指数化される。

景況感　[日本経済]　短観 ☞P.25

景気の状態に対する印象をあらわす用語。良くなっている、悪くなっている、変わらないなど、どう感じているかということ。短観の業況判断指数（☞P.269）や、内閣府の景気ウォッチャー調査（☞前項）でも、アンケート形式で調査されている。

経済センサス　[日本経済]　経済 ☞P.82

総務省と経産省が共同で実施している経済調査。5年ごとにおこなわれ、「経済の国勢調査」といわれる。目的は、日本の産業構造の把握と、各種統計調査のための事業所、企業の情報整備。個人経営の農林漁業など一部の例外を除いて、国内に存在するすべての事業所、企業が対象になる。センサス（census）は全数調査（サンプル調査でない）の意味。結果は「経済構造統計」として公表される。

計量経済学　[経済学史]　新古典派経済学 ☞P.258

新古典派経済学は数学的な分析を発展させたが、さらに統計学的な手法をとり入れたのが計量経済学。経済学による仮説→数学によるモデル→統計学による実証をおこなう。マクロ経済分析の発達、経済統計の整備、高性能コンピュータの普及などにより大きく発展している。原語ではeconometricsという。

ケインジアン　経済学史　ケインズ経済学 ☞P.260

　ケインズ政策（☞P.226）の理論にもとづき、総需要管理政策が有効だとする考え方。また、ケインズ経済学を支持する経済学者。ケインズの影響を受けてＩＳ―ＬＭモデル（☞P.196）を完成させたイギリスの経済学者ジョン・ヒックスの流れを汲み、アメリカにおいて数学的モデルを発展させたポール・サミュエルソン（☞P.166）たちを「アメリカン・ケインジアン」と呼ぶ。また、イギリスにおいてケインズ本人の流れを汲む学派は「ポスト・ケインジアン」と呼ばれる。シカゴ学派の台頭後に、再びケインズ政策の見直しを主張したのは「ニュー・ケインジアン」（☞P.283）。

ケインジアン・クロス　マクロ経済学　ケインズ政策 ☞P.226

　正確には Keynesian cross diagram、日本語では「ケインズの交差図」。「45度線図」、「45度線分析」とも呼ぶ。ＡＤ―ＡＳモデル（☞P.250）が財市場、貨幣市場、労働市場を分析し、ＩＳ―ＬＭモデル（☞P.196）が財市場、貨幣市場を分析するのに対し、ケインジアン・クロスは財市場の需要と供給から経済を分析する。縦軸に総需要と総供給、横軸に国民所得をとり、45度線を引くとこれが総供給曲線となる。ここに総需要曲線を重ねると、45度線との交点が均衡点になる。ここで総需要曲線を上下にシフトさせると、それに応じて総供給と国民所得が増減する。このことから、「総需要が総供給と国民所得の水準を決定する」という有効需要の原理（☞P.195）が理解できる。なお、ケインジアン・クロスでは短期間の財市場を対象にしているため、利子率と価格は一定と仮定されている。

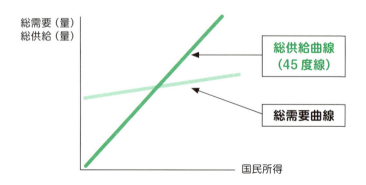

限界資本費用　　ミクロ経済学　　限界生産物価値 ☞ P.140

生産要素としての資本の投入量を増やしたときの費用の増加分。ミクロ経済学では、資本はレンタルしていると考えるので、資本を増やしたときの利子の増加分ということになる。

限界貯蓄性向　　マクロ経済学　　限界消費性向 ☞ P.200

所得が増えたときの貯蓄の増加分の割合。所得は貯蓄と消費に分配されるので、「限界貯蓄性向＝１－限界消費性向」という式が成り立つ。

限界労働費用　　ミクロ経済学　　限界生産物価値 ☞ P.140

生産要素としての労働の投入量を増やしたときの費用の増加分。労働の費用は賃金なので、賃金の増加分ということになる。

減価償却費　　ミクロ経済学　　固定費用 ☞ P.122

企業会計では、固定資本減耗の費用を会計年度ごとに計算し、その年度の費用として計上する。この会計処理を「減価償却」といい、計上する費用を「減価償却費」という。

現金預金比率　　マクロ経済学　　信用乗数 ☞ P.235

企業や家計が持つ預金に対する現金の比率。マネーストック統計（☞ P.230）のＭ１は現金通貨と預金通貨の合計なので、現金預金比率は次の式で計算できる。

$$現金預金比率 \ = \ \frac{現金通貨}{預金通貨} \ \times \ 100$$

公共選択論　　経済学史　　経済学 ☞ P.88

政治のプロセスや決定を、経済学的に分析する学問。ミクロ経済学の前提と同じように、人間は自己の利益を最大化することを目的として、合理的に行動すると考える。そこから、有権者、政治家、官僚、業界団体などの主体がどのように行動するかを分析する。それぞれの主体はさまざまな意見や利害を持つが、政治的な決定は最終的に１つになるため、「選択」が重要になる。アメリカの経済学者ジェームズ・ブキャナンは、こうした研究により 1986 年のノーベル経済学賞を受賞した。

公共投資　　日本経済　　財政政策　☞ P.31

　公共部門（☞ P.212）による投資。民間部門による「民間投資」と対比される。日本では政府部門による設備投資（☞ P.280）がほとんどで、具体的には道路、港湾、河川、土地改良、その他各種の公共施設の整備などがおこなわれる。

公定歩合　　マクロ経済学　　政策金利 ☞ P.238

　日銀が市中銀行に貸付けをおこなう際の基準金利。市中金利は公定歩合と連動するように規制されていたため、公定歩合操作で政策金利を変えることができた。1994 年に金利が自由化されると、公定歩合操作はできなくなり、現在は「基準割引率および基準貸付利率」（☞ P.239）という名称になっている。

合理的期待仮説　　マクロ経済学　　ニュー・ケインジアン ☞ P.283

　「合理的期待形成仮説」ともいう。人々があらゆる情報をもとに合理的に予測するとき、正しい期待値が予想できるという前提をおく仮説。1970 年代にアメリカの経済学者ロバート・ルーカスやトーマス・サージェントらによって提唱された。ケインズの総需要管理政策に対して、短期的にも、人々は政府の財政政策の結果を正しく予測して行動するので、政府がねらった効果はあらわれないとする。

国際分業　　国際経済　　経済のグローバル化 ☞ P.52

　国と国の間で国際的におこなわれる分業。各国がそれぞれ得意とするものを生産し、貿易によって互いに輸出、輸入しあうことで効率的な生産ができる。このメリットを理論的に説明したのがリカードの「比較優位の原理」（☞ P.55）。

国富　　マクロ経済学　　ストック ☞ P.176

　1 つの国の資産から負債を除いた正味資産の総額。ＧＤＰが一定の期間に生産された財とサービスを示すのに対し（フロー）、国富は特定の時点で蓄積されている資産の有高をあらわす（ストック）。

国民所得の三面等価の原則　　マクロ経済学　　国民所得 ☞ P.183

　ＧＤＰの三面等価の原則（☞ P.181）と同じく、国民所得も生産、分

配、支出のどの面から見ても等しくなるという原則。すなわち、生産国民所得（☞ P.279）、分配国民所得（☞ P.286）、支出国民所得（☞ P.276）は等価になる。

コストプッシュ・インフレ 〔マクロ経済学〕 インフレ ☞ P.35

原材料や人件費の上昇により引き起こされるインフレ。企業が生産コストを価格に転嫁することにより発生する。たんに「コスト・インフレ」ともいう。また、輸入原材料の価格上昇によるものはとくに「輸入インフレ」と呼ぶことがある。

固定資本減耗 〔マクロ経済学〕 国内総所得 ☞ P.181

固定資本とは建物、設備、機械など、いわゆる固定資産のこと。固定資産は通常、使用しているうちに壊れたり、古くなったり、事故や災害で被害を受けたりするので、使用できなくなったときに作り替えるための費用を用意しておかなければならない。ＳＮＡ（☞ P.174）では、その費用をＧＤＰ（分配面から見たＧＤＰ）の一部として計算する。これを「固定資本減耗」という。

混合経済 〔経済学の基本〕 市場経済 ☞ P.87

計画経済（☞ P.270）と市場経済を混合した経済の意味。資本主義（☞ P.277）は市場経済が基本であるが、現代の資本主義国家は資源配分、所得再分配、経済安定化により、多かれ少なかれ市場に介入しているため「混合経済」と呼ばれる。現代の資本主義の特徴とされている。

さ行

最終生産物 〔マクロ経済学〕 GDP ☞ P.26

「最終財」ともいう。最終的に消費、投資、または輸出される生産物のこと。ＧＤＰは付加価値の合計だが、見方を変えると最終生産物の合計でもある。対比される用語は「中間生産物」（☞ P.281）。

財政収支 〔マクロ経済〕 財政赤字 ☞ P.219

国や地方公共団体の歳入（収入）と歳出（支出）の収支（差額）。とくに国の財政収支は、１国の経済を見るうえで重要な経済指標となる。

財政収支がマイナスの場合が「財政赤字」、国債発行の影響を除いたものが「プライマリー・バランス」（☞ P.30）。

サッチャリズム 〔マクロ経済〕 シカゴ学派 ☞ P.227

イギリスのマーガレット・サッチャー首相が、1979 年から 1990 年の在任期間におこなった政策の通称。経済政策としては小さな政府（☞ P.225）をめざし、規制緩和、金融制度改革、国有企業の民営化などでイギリス経済を再生させた。サッチャリズムは、新自由主義（☞ P.263）的な政策の代表例の 1 つといわれている。

自己資本比率 〔マクロ経済〕 バーゼル I、II、III ☞ P.283

自己資本を分子、総資産を分母として、自己資本の比率を計算する経営指標。バーゼル I、II、III においては、銀行の自己資本を分子、リスクアセット（銀行の保有資産などのリスクの大きさを示す数値）を分母として算出され、銀行の経営の健全性を測る指標とする。

支出国民所得 〔マクロ経済学〕 国民所得 ☞ P.183

支出面から見た国民所得。民間消費と投資、政府支出、対外債権の増加額の合計としてとらえられる。国民所得の三面等価の原則（☞ P.274）が成り立つ。

市場価格表示 〔マクロ経済〕 SNA ☞ P.174

ＳＮＡ（国民経済計算）で生産額や所得額を表示する方式の 1 つ。市場で取引される価格（市場価格）で表示する。具体的には、生産にかかった費用に、納めた間接税から受けた補助金を差し引いた「純間接税」が加わる。生産にかかった費用だけで表示する方式は「要素費用表示」。

失業率 〔マクロ経済学〕 ファンダメンタルズ ☞ P.67

その国の雇用状況を示すものとして重要視される指標。一般的には、労働力人口に占める失業者の割合をいう。労働力人口は就業者数と失業者数の合計なので、失業率は次の式であらわされる。日本では「完全失業率」（☞ P.269）。

$$失業率 = \frac{失業者数}{就業者数 + 失業者数} \times 100$$

実験経済学　　ミクロ経済学　　行動経済学 ☞ P.265

実験によって、人間の経済的な行動の検証をおこなう経済学の分野。被験者には、自分の利益を最大化するよう自由に行動させるが、必ずしも合理的、利己的な行動をとらない。そこから、経済理論と現実の差異や、どのような条件で市場メカニズム（☞ P.135）が働くかなどを研究する。アメリカの経済学者ノーバン・スミスは、こうした研究により 2002 年のノーベル経済学賞を受賞した。このとき、同時に受賞したのが行動経済学のダニエル・カーネマン。

実質金利　　日本経済　　金利 ☞ P.36

金融商品などに表示されている名目金利（☞ P.287）から、物価上昇率（☞ P.34）を差し引いた金利。たとえば、定期預金の名目金利が 2 ％でも、物価上昇率が 1.5％なら、実質金利は 0.5％になる。

実体経済　　マクロ経済　　金融経済 ☞ P.270

「実物経済」ともいう。お金の支払いに対して、財やサービスの提供、労働力の提供、公共サービスの提供など、具体的な対価がともなう経済。実質ＧＤＰ（☞ P.180）で大きさがわかる。対語が「金融経済」。

資本主義　　マクロ経済学　　市場メカニズム ☞ P.135

生産手段が資本として私的に所有され、労働力が商品として売買される経済システム。経済活動は、効用と利潤の最大化を追求する市場メカニズムによって調整される。

社会主義市場経済　　経済学の基本　　市場経済 ☞ P.87

中国が導入した経済システム。社会主義の計画経済（☞ P.270）に市場経済の市場メカニズム（☞ P.135）を導入するもの。資本主義市場経済との違いは、生産手段が私的所有でなく、公有されている点にある。

収入　　ミクロ経済学　　費用曲線 ☞ P.120

企業の収入のほとんどは、事業の「売上」が占める。家計の収入は、自営業者の場合は売上、労働者の場合は賃金。政府の収入は「歳入」（支出は歳出）と呼ばれることが多い。

需給ギャップ 〔マクロ経済〕 総需要 ☞ P.246

総需要と供給力のギャップ、差。総需要はＧＤＰに対する需要なので、「ＧＤＰギャップ」ともいう。供給力は、労働力や資本（製造設備など）から推計される。総需要より供給力が大きいと、モノ余りの状態になり、需給ギャップがマイナスになる。この状態はデフレにつながりやすいので「デフレギャップ」という。反対に需給ギャップがプラスになると、物価が上がりやすいので「インフレギャップ」と呼ぶ。

準通貨 〔マクロ経済〕 マネーサプライ ☞ P.230

解約すると現金通貨や預金通貨になる金融資産、定期性預金。マネーストック統計では、定期預金、据置預金、定期積金、外貨預金の合計となっている。

上場投資信託 〔日本経済〕 買いオペ ☞ P.241

「ＥＴＦ」（☞ P.290）を参照のこと。

乗数理論 〔マクロ経済学〕 乗数効果 ☞ P.215

投資の増加が、国民所得を最終的にどれだけ増加させるかを説明する経済理論。乗数効果や乗数を計算する際の基礎になる。乗数理論における投資は、政府の公共投資だけでなく、民間の設備投資（☞ P.280）などでも同様の乗数効果が期待できる。

消費関数論争 〔マクロ経済学〕 消費関数 ☞ P.200

ケインズ型の消費関数では、所得が大きくなるほど平均消費性向が低くなる。しかし、サイモン・クズネッツ（☞ P.209）が長期間のアメリカの平均消費性向を研究したところ、ほぼ一定の0.9になることがわかった。ここから、両者を矛盾なく説明するための論争が始まり、平均消費性向に影響を及ぼすものとして、過去の最高所得、臨時の所得を除いた恒常所得、生涯所得など、さまざまな仮説が発表された。

消費マインド 〔ミクロ経済学〕 平均消費性向 ☞ P.201

消費者の消費行動をしようとする気持ち、全般的な購買意欲の強さ。「消費マインドが冷え込んでいる」（消費者の消費行動をしようという気持ちが弱い）などと使用する。

神経経済学　〔ミクロ経済学〕　行動経済学 ☞ P.265

　神経科学と経済学を融合させた学問。神経科学によって、経済活動における意思決定のしくみを解明する研究などがおこなわれている。行動経済学が、主に心理学から経済活動を解明するのに対し、神経経済学は人間の脳の機能を解明する神経科学を活用する。

新設住宅着工戸数　〔マクロ経済学〕　景気動向指数 ☞ P.202

　新築、増改築によって増加した住宅の「戸数」を示す経済指標。住宅の新設は、建設、建材だけでなく、家具、家電、自動車などの消費につながるので、ＧＤＰに大きく影響する。そのため、景気の先行指標となっている。国交省の住宅着工統計では、戸数だけでなく床面積や工事費予定額などを公表しており、景気動向指数の先行系列では「新設住宅着工床面積」が採用されている。

新発10年国債利回り　〔日本経済〕　長期金利 ☞ P.37

　新規発行、償還期間10年の国債の流通利回りの意味。流通利回りとは、債券市場で取引される価格の実質的な利回りのこと。利回りは、債券の利子にキャピタル・ゲイン（☞ P.269）またはキャピタル・ロスを加えて、利益率を計算したもの。新発10年国債利回りは、長期金利の代表的な指標になっている。

生産国民所得　〔マクロ経済学〕　国民所得 ☞ P.183

　生産面から見た国民所得。各産業で生み出された付加価値の合計としてとらえられる。国民所得の三面等価の原則（☞ P.274）が成り立つ。

生産者物価指数　〔マクロ経済〕　企業物価指数 ☞ P.185

　アメリカの企業物価指数にあたる経済指標。Producer Price Index、略して「ＰＰＩ」とも呼ぶ。約１万品目の販売価格を調査し、アメリカ労働省が毎月、発表している。全品目を対象にした総合指数のほか、エネルギーと食料品を除いた「コア指数」があり、物価上昇率の判断にはコア指数が重視される。

世界恐慌　〔経済学史〕　バブル経済 ☞ P.44

　「大恐慌」「世界大恐慌」ともいう。1920年代のアメリカでは史上最

大規模のバブルで株価が上がり続けたが、1929年10月、「暗黒の木曜日」「悲劇の火曜日」に崩壊して、株価が大暴落。これをきっかけに、世界的、長期の深刻な不況におちいった。景気後退は33年ごろまで続き、アメリカでは株価が9割、実質GDPが3割下落、失業率は25%まで上昇。世界は「ブロック経済」（☞P.286）の方向に進み、第2次世界大戦の原因になった。

世界銀行 　国際経済 　G20 ☞P.53

主として途上国に対し、低利貸付けや無利子融資、贈与をおこなう国連の専門機関。「国際復興開発銀行」と「国際開発協会」を合わせて一般に世界銀行と呼び、ほか3つの機関を合わせて「世界銀行グループ」を構成する。国連の機関ではあるが、金融機関としては加盟国の出資額に応じて投票権が与えられるしくみになっている。

絶対優位 　国際経済 　比較優位の原理 ☞P.55

国際経済において、他国より安いコストで特定の財を生産できること。リカードの「比較優位の原理」以前に、アダム・スミス（☞P.88）が提唱した。各国がそれぞれ絶対優位の分野の財を生産し、互いに貿易で交換すれば、各国はそれぞれ利益を得ることができると主張した。

設備投資 　日本経済 　財政政策 ☞P.31

建物や設備、機械など有形の固定資産に対して資金を投入すること。公共投資（☞P.274）と民間部門の設備投資がある。「在庫投資」と対比され、設備投資はGDP（支出面から見たGDP）の「総固定資本形成」として、在庫投資は「在庫品増加」としてあらわれる（☞P.181）。

ソロー＝スワン・モデル 　マクロ経済学 　経済成長理論 ☞P.192

ハロッド＝ドーマー・モデル（☞P.193）と並ぶ経済成長理論の1つ。アメリカの経済学者ロバート・ソローとトレバー・スワンが提唱した。新古典派経済学（☞P.258）の考え方に近いことから「新古典派成長モデル」とも呼ばれる。

た行

巻末付録
経済用語事典

ダウ平均株価　[ミクロ経済]　株価指数　☞P.41

　世界で最も有名な株価指数。数種類あるなかでよく利用されるのが「ダウ工業株30種平均」で、アメリカを代表する30の優良銘柄の平均株価を示す。正確には「ダウ・ジョーンズ工業株価平均」というが、「ダウ平均」「ニューヨーク・ダウ」「ニューヨーク株価平均」などといったときも、ダウ平均株価のことをいっている。

中間生産物　[マクロ経済学]　最終生産物　☞P.275

　「中間財」ともいう。最終生産物を作る過程で投入される生産物のこと。ＧＤＰは最終生産物の合計であり、中間生産物は含まれない。

通貨危機　[国際経済]　外貨準備　☞P.61

　通貨の対外的な価値が急激に下がり、その国の経済が大きな混乱や深刻な不況におちいること。近年ではアジア通貨危機の例があるが、1994年から95年のメキシコペソの暴落、92年のイギリスポンド暴落（欧州通貨危機、ポンド危機）など、たびたび引き起こされている。

通貨スワップ協定　[国際経済]　外貨準備　☞P.61

　自国が通貨危機におちいったときに、相手国の通貨を融通してもらう協定。中央銀行同士が締結し、自国通貨を相手に預け入れて、あらかじめ定めておいたレートで融通してもらう。たんに「スワップ協定」とか「通貨交換協定」ということもある。

通貨バスケット制　[国際経済]　固定相場制　☞P.66

　為替相場の固定相場制の1種。自国通貨と複数の通貨の間の為替レートを一定に保つ。複数の通貨をバスケット（かご）に入れて、バスケット全体を1つの通貨とみなすイメージをあらわす。バスケットの為替レートは、各国との貿易量など加味して加重平均をとる。同様に為替レートを固定する制度に「ペッグ制」（☞P.286）があるが、複数の通貨と固定するほうが為替レートが安定しやすい。中国の元も、通貨バスケット制に似た為替政策をとっている。

デノミネーション 「マクロ経済」 管理通貨制度 ☞P.229

　略して「デノミ」ともいう。通貨の単位や呼称を変更すること。英語のdenominationは単位や額面金額の意味。急激なインフレで、通貨の桁が1000倍や1万倍になった場合など、1000分の1や1万分の1の新しい単位に切り下げることがある。

デフレマインド 「日本経済」 デフレーション ☞P.35

　日本経済がデフレの時代に、消費者や企業が身につけた行動様式や考え方のこと。消費者は何でもより安いものを求め、消費を控えて貯蓄を増やそうとする。企業は人件費や設備投資を抑え、内部留保（☞P.283）を厚くする、など。「デフレマインドを一気に払拭するのは容易ではない」などと使用する。

デマンドプル・インフレ 「マクロ経済学」 インフレーション ☞P.35

　総需要（☞P.246）の急増により引き起こされるインフレ。「需要インフレ」「需要超過インフレ」ともいう。景気が拡大して、総需要の伸びに総供給が追いつかなくなると、モノ不足となり、物価が上がることにより発生する。

デリバティブ 「国際経済」

　デリバティブ（derivative）は派生的とか副次的といった意味。「金融派生商品」。金融商品から派生する将来的な、約束（先物取引）、権利（オプション取引）、交換（スワップ取引）などを取引する。リスクヘッジ（危機回避）のために利用されるが、リスクを大きくとると少ない資金で大きな利益をねらうことができる。

ドルペッグ制 「国際経済」 固定相場制 ☞P.66

　為替相場に「ペッグ制」（☞P.286）を採用し、アメリカドルとの為替レートを一定に保つ制度。アメリカとの貿易量の割合が大きく、依存度が高い国が採用することが多い。

な行

内部留保　【日本経済】　デフレマインド ☞ P.282

　企業が内部に留保した利益。企業会計上は、純利益から直接税、配当、役員賞与などの外部流出分を除いた残りで計算され、「利益準備金」「任意積立金」「繰越利益剰余金」などの科目で貸借対照表に計上される。財務省の法人企業統計によれば、2022年度の日本企業の内部留保は過去最高の511兆円超。一般的に日本の企業は欧米に比べて内部留保の割合が高いといわれる。「社内留保」ともいう。

ニクソン・ショック　【国際経済】　変動相場制 ☞ P.66

　1971年8月に、アメリカのリチャード・ニクソン大統領が打ち出した経済政策により、世界と日本がこうむった打撃のこと。ドルと金（ゴールド）の交換停止を柱とし、その後、当時まだ固定相場制だった主要通貨のドルに対する為替レートの切上げがおこなわれた。

ニュー・ケインジアン　【マクロ経済学】　ケインジアン ☞ P.272

　マネタリスト（☞ P.264）や合理的期待仮説（☞ P.274）の考え方を一部とり入れた経済学派。ケインズ政策（☞ P.226）による政府の裁量的な財政政策について、マネタリストが長期的には無効とし、合理的期待仮説が短期的にも無効としたのに対し、裁量的な財政、金融政策の有効性を示そうとしたもの。アメリカの経済学者グレゴリー・マンキューやデビッド・ローマーらが提唱した。

は行

バーゼルⅠ、Ⅱ、Ⅲ　【マクロ経済】　中央銀行 ☞ P.236

　「バーゼル合意」ともいう。28の国と地域（2022年現在）の中央銀行、銀行監督当局により構成される、バーゼル銀行監督委員会が公表している国際基準。国際的に活動する銀行の自己資本比率（☞ P.276）などについて定める。1988年の合意は「バーゼルⅠ」、2004年の改定は「バーゼルⅡ」と呼ばれ、「バーゼルⅢ」は2017年に最終合意した。ＢＩＳ規制と呼ばれることもあるが、バーゼル銀行監督委員会はＢＩＳとは別の組織なので正確な表現ではない。

比較劣位 　（国際経済）　比較優位の原理　☞P.55

「比較優位」の対義語。比較優位でないこと、国内で作ると他国に比べてコストが割高になる財。比較劣位の産業は自由貿易になると不利なので、保護貿易を求める（☞P.56）。

ヒストリカル DI 　（マクロ経済）　景気の山（谷）　☞P.207

景気の山と谷を判断する指標。景気動向指数（☞P.202）の個々の系列ごとに山と谷を判定し、ＤＩ（☞P.204）を作成したもの。ヒストリカルＤＩが連続して50％を下回る直前の月が景気の山、連続して50％を上回る直前の月が景気の谷と判断される。

フィッシャー効果 　（マクロ経済）　物価上昇率　☞P.34

物価が上昇しているときは、人々のインフレ期待が名目利子率に織り込まれるという効果。たとえば、実質利子率が２％で物価上昇率が１％の場合、名目利子率は３％になる。式であらわすと下のようになり、これを「フィッシャーの方程式」という。

名目利子率　＝　実質利子率　＋　期待インフレ率

アメリカの経済学者、統計学者アービング・フィッシャーが提唱。

フィリップス曲線 　（マクロ経済）　物価上昇率　☞P.34

賃金上昇率（物価上昇率）と失業率（☞P.276）の関係をあらわす曲線。イギリスの経済学者アルバン・フィリップスが賃金上昇率と失業率の関係を論文で発表し、後にポール・サミュエルソン（☞P.166）が物価上昇率と失業率の関係としてとらえ直したが、変わらずフィリップス曲線と呼ばれている。失業率が低いほど物価上昇率は高く、失業率が高いほど物価上昇率は低くなる。

フォワードガイダンス 　（日本経済）

日銀など中央銀行が、将来の金融政策の見通しなどを事前に表明する、指針または手法のこと。これにより市場に働きかけて金融政策の効果を高めようとするもの。

フォン・ノイマンの多部門成長モデル 　マクロ経済学　　ハロッド=ドーマー・モデル ☞P.193

　ハロッド=ドーマー・モデルと並ぶ経済成長理論（☞P.192）の１つ。フォン・ノイマンが提唱した。ちなみに、フォン・ノイマンは「ゲーム理論」（☞P.154）を発想した数学者であり、原子爆弾の開発に携わったフォン・ノイマンと同一人物。

福祉国家 　マクロ経済　　ケインズ政策 ☞P.226

　welfare state の訳語。国民の福祉の増進を国家の目標として掲げ、完全雇用（☞P.226）と社会保障、公共サービスの充実などを主要な政策とする国家。

双子の赤字 　マクロ経済　　レーガノミクス ☞P.289

　財政赤字（☞P.219）と、経常収支（☞P.59）の赤字。アメリカで、1980年代のレーガン政権から問題になり、その後もアメリカ歴代政権の課題となっている。

不動産投資信託 　日本経済　　買いオペレーション ☞P.241

　「ＲＥＩＴ」（☞P.293）を参照のこと。

プライス・フォロワー 　ミクロ経済学　　プライス・リーダー ☞P.151

　寡占市場でプライス・リーダー（☞P.151）による価格形成がおこなわれているとき（プライス・リーダーシップ）、リーダーに追随して価格を改定する企業のこと。日本語では「価格追随者」。

プラザ合意 　国際経済

　1985年にニューヨークのプラザホテルで開催された、当時のＧ５（先進５ヵ国財務大臣・中央銀行総裁会議）での合意事項。当時の為替相場はドルだけが高い状態（独歩高）で、アメリカは膨大な貿易赤字（☞P.58）に苦しんでいた。この不均衡を、為替レートの調整で是正しようという合意で、その後、各国は自国通貨買いドル売りの協調介入をおこなった。その結果の円高ドル安は日本経済を不況におとしいれ、その対策としての政策金利の引下げがバブル経済と、その崩壊（☞P.44）につながっていく。

ブレトンウッズ体制　[国際経済]　管理通貨制度 ☞ P.229

　第2次大戦後の世界経済を20年以上に渡って支えた国際通貨の体制。1944年に連合国44ヵ国がアメリカのブレトンウッズに集まり、ＩＭＦ協定（☞ P.62）などを締結。このとき、金との交換が保証されたドルを基軸とし、各国の通貨との為替レートを固定する「ブレトンウッズ協定」が同時に締結された。それまでの金本位制に対して、「金・ドル本位制」ともいう。1971年のニクソン・ショック（☞ P.283）により、金とドルの交換が停止されて、この体制は崩壊した。

ブロック経済　[国際経済]　世界恐慌 ☞ P.279

　複数の国や地域が密接に経済協力の体制をひく一方で、域外には閉鎖的な経済圏。とくに世界恐慌後、イギリス連邦の国々と植民地などが、恐慌対策としてブロックを結成したのを発端として、アメリカ、ドイツ、日本などが形成したブロックをいう。第2次世界大戦の一因になったといわれる。

分配国民所得　[マクロ経済学]　国民所得 ☞ P.183

　分配面から見た国民所得。各生産要素（☞ P.117）に分配された賃金、地代、利子（利潤）の合計としてとらえられる。国民所得の三面等価の原則（☞ P.274）が成り立つ。

ペッグ制　[国際経済]　固定相場制 ☞ P.66

　為替相場の固定相場制の一種で、自国通貨と特定の通貨の為替レートを一定に保つ制度。ペッグ（peg）はクギやクイのことで、自国通貨を特定の通貨にクギ止めするイメージをあらわす。特定の通貨との間では固定相場制になるが、その他の通貨とは変動相場制（☞ P.66）になる。特定の通貨はアメリカドルの場合が多く、その場合は「ドルペッグ制」（☞ P.282）と呼ばれる。

訪日外客数　[日本経済]　インバウンド消費 ☞ P.268

　日本政府観光局が毎月公表する、日本を訪れた外国人の数の統計。国別、月別に集計され、インバウンド消費（☞ P.268）が日本経済に及ぼす影響が期待されるなかで注目を集めている。政府は訪日外国人の数として、2030年に年間6,000万人の目標を掲げる。

ま行

マルクス主義 　[経済学史]　マルクス経済学 ☞ P.257

　マルクスとエンゲルスによって確立された思想。資本主義（☞ P.277）を資本家階級と労働者階級の対立ととらえ、労働者階級の勝利によって階級のない社会が実現するとされた。資本主義を学問的に分析するために経済学を重視し、マルクス経済学が発展することになる。

マーストリヒト条約 　[国際経済]　ユーロ圏 ☞ P.72

　「ヨーロッパ連合条約」ともいう。経済統合（☞ P.68）、通貨統合、政治統合などの推進を定めた条約。1991 年に、オランダのマーストリヒトで開催された首脳会議で合意された。その後、加盟国の批准拒否などを乗り越え、93 年にようやく発効。

無担保コールレート 　[マクロ経済学]　政策金利 ☞ P.239

　正確には「無担保コールレート（オーバーナイト物）」。「翌日物」ともいう。コールレートは、「マネー・アット・コール」＝呼べばすぐに帰ってくる資金といわれるほど、短期の資金を取引するコール市場の金利。これを無担保で貸し借りし、オーバーナイト＝翌日には決済する。この金利が、日銀の金融市場調節の目標になっている。

名目金利 　[日本経済]　金利 ☞ P.36

　金融商品などに表示されている見かけ上の金利。物価上昇率（☞ P.34）の影響を加味していない。物価上昇率の影響を加味したものが実質金利（☞ P.277）。

や行

夜警国家 　[マクロ経済学]　小さな政府 ☞ P.225

　自由放任主義（☞ P.224）の国家観をあらわす用語。政府は外敵の侵入阻止、国内の治安維持、私有財産の保護など、夜間の警備員がおこなうような最小限の役割を果たせばよいという意味。このような考え方を「夜警国家論」という。最初は批判的な用語として登場したが、現在では自由主義の国家観を端的にあらわすものとしても使われる。

有効求人倍率　マクロ経済　労働市場の均衡 ☞P.247

　有効求職者数に対する有効求人数の比率。「有効」の意味は、求職、求人の有効期限が2ヵ月のため、前月から繰り越されたものとその月のものの合計だということ。ただし、公共職業安定所を通じた求職、求人だけのデータから算出され、新卒のデータも含まれない。労働市場の需給を示す指標であり、1を超えれば労働市場は需要超過、下回れば供給超過をあらわす。また、景気の指標として景気動向指数（☞P.202）の一致系列にも採用されている。

ユーログループ　国際経済　G7 ☞P.53

　「ユーロ圏財務相会合」。ユーロ圏の経済政策の協調を目的に設立され、各国の財務大臣で構成される会合。議長はG7などにも出席する。

預金保険機構　マクロ経済　最後の貸し手 ☞P.243

　ペイオフ制度を運営する機関。ペイオフとは、金融機関が破綻したときに預金者への払戻しを保証する制度だが、一定の上限が定められている。ペイオフ制度に加入している金融機関は、預金保険機構に預金保険料を支払い、破綻したときには預金保険機構から預金者に保険金が支払われるしくみ。

ら行

リバタリアニズム　経済学史　新自由主義 ☞P.263

　個人の自由を絶対的なものとし、それを制約する国家の役割は最小限にとどめるべきだとする思想。完全自由主義。新自由主義と似ているが、新自由主義は経済的自由を重視する経済学派であるのに対し、リバタリアニズムは社会的自由も重要視して、権威への不服従などを主張する。ミルトン・フリードマン（☞P.227）は、思想的にリバタリアンとされる。

リフレーション　マクロ経済　デフレーション ☞P.35

　デフレを脱した後、まだインフレになっていない状態。また、意図的にゆるやかなインフレを引き起こして景気拡大をめざす金融政策。1990年代後半に本格化した日本のデフレに対して、金融緩和を中心にした景気刺激策を主張した経済学者たちが「リフレ派」と呼ばれた。

累進課税 〔マクロ経済学〕 ビルト・イン・スタビライザー ☞P.216

　課税対象額が大きくなるほど税率が高くなるしくみを「累進税率」といい、累進税率で課税することを「累進課税」という。所得や資産が多いほど税負担が大きくなるので、ビルト・イン・スタビライザーや所得再分配（☞P.214）の機能がある。

レーガノミクス 〔マクロ経済〕 新自由主義 ☞P.227

　アメリカのロナルド・レーガン大統領が、1981年に打ち出した経済再生計画で掲げた経済政策の通称。新自由主義（☞P.263）とマネタリズム（☞P.264）にもとづき、政府支出の抑制、大幅な減税、規制緩和、安定的な金融政策などを柱としている。インフレ抑制と雇用改善に効果をあげたが、同時に「双子の赤字」（☞P.285）を拡大させた。

労働分配率 〔マクロ経済〕 付加価値 ☞P.172

　生産された付加価値のうち、労働の提供者に賃金として分配された比率。企業の労働分配率は、賃金の総額を付加価値の額で割って求められる。ＳＮＡ（国民経済計算）では、分配面から見たＧＤＰに占める雇用者報酬の比率を算出するなどして求められる（☞P.181）。

数字・アルファベット

AEC 〔国際経済〕 AFTA ☞P.69

　ASEAN Economic Community の略、「アセアン経済共同体」。ＥＵのような通貨統合は目指さず、域内での関税の撤廃やサービス、投資の自由化を図る。2015年にアセアン首脳会議で確認、発足した。

APEC 〔国際経済〕

　「エイペック」と読む。Asia Pacific Economic Cooperation の略、「アジア太平洋経済協力」。アジア太平洋地域の21の国と地域が参加する経済協力の枠組み。世界全体のＧＤＰの約6割、貿易量の約5割、人口の約4割を占める。

BIS 〔マクロ経済〕 中央銀行 ☞P.236

　「ビス」とも読む。Bank of International Settlements の略、「国際決

済銀行」。世界 63 の国と地域（2022 年現在）の中央銀行をメンバーとする組織。中央銀行間の協力を促進する活動のほか、中央銀行から預金を受け入れる銀行業務もおこなう。本部はスイスのバーゼル。

BIS 規制　〔マクロ経済〕　バーゼルⅠ、Ⅱ、Ⅲ ☞ P.283

「ビス規制」とも読む。「バーゼルⅠ、Ⅱ、Ⅲ」を参照のこと。

CD　〔マクロ経済〕　マネーサプライ ☞ P.230

Certificate of Deposit の略、「譲渡性預金」。第三者に譲渡できる特殊な預金で、金融市場で売買される。マネーストック統計のＭ２以降に含まれる。

CP　〔マクロ経済〕　買いオペレーション ☞ P.230・241

Commercial Paper の略。企業が短期の資金調達をするために発行する無担保の約束手形。日銀の買いオペの対象になっているほか、金融機関発行のＣＰはマネーストック統計の広義流動性に含まれる。

ＥＳＧ投資　〔国際経済〕

ＥＳＧは Environment（環境）、Social（社会）、Governance（企業統治）の頭文字。これらの要素を重視して投資先企業を選ぶ投資。2006 年に国連が世界各国の機関投資家に呼びかけたことから始まった。

ESM　〔国際経済〕

European Stability Mechanism の略、「欧州安定メカニズム」。ユーロ圏加盟国に金融支援をおこなう機関。ユーロ圏の金融支援機関としては、すでにＥＦＳＦ（European Financial Stability Facility、欧州金融安定化基金）があったが、2010 年から 2013 年までの期間限定だったため、ギリシャ、ポルトガル、アイルランド以降は支援をおこなっていない。ＥＦＳＦに代わる、恒久的な機関として設立された。

ETF　〔日本経済〕　日本版金融ビッグバン ☞ P.46・241

Exchange Traded Funds の略、「上場投資信託」。日経平均株価などの株価指数等に連動するように運用される投資信託。金融商品取引所に上場して、自由に売買される。日本では 2000 年に解禁され、日銀の買

いオペの対象にもなっている。

GAFA 　国際経済

「ガーファ」と読む。Google、Apple、Facebook（現 Meta）、Amazon
の頭文字で、アメリカの巨大ＩＴ企業４社のこと。プラットフォーマー
として市場を独占しているため収益性・成長性が高いが、一方で世界中
の個人情報が集中していること、各国に支店を持たないことを利用した
税金逃れなどが問題視されている。

GDE 　マクロ経済　三面等価の原則 ☞P.175・181

　Gross Domestic Expenditure の略、「国内総支出」。支出面から見た
ＧＤＰのこと。「民間最終消費支出＋政府最終消費支出＋総固定資本形
成＋在庫品増加＋（輸出－輸入）」としてあらわされる。総固定資本形
成とは、家計の住宅投資や、企業の設備投資、政府の公共投資（☞P.274）
など、有形無形の資産を形成した額のこと。

GDI 　マクロ経済　三面等価の原則 ☞P.175・181

　Gross Domestic Income の略、「国内総所得」。分配面から見たＧＤＰ
のこと。「雇用者報酬＋営業余剰＋（間接税－補助金）＋固定資本減耗（☞
P.275）」としてあらわされる。雇用者報酬には賃金のほか役員報酬、社
会保険料の企業負担分などが含まれる。営業余剰は、営業利潤、支払利
子、賃貸料などのこと。

ICT 　国際経済

　Information and Communication Technology の略、情報通信技術の
意味。ＩＴが技術そのものを指すのに対し、情報の伝達やデータの活用
を重視する呼び方。近年、ＩＴに代わり使われることが多くなっている。
歴史的には通信行政を所管する総務省がＩＣＴの用語を使ってきた。

ITバブル 　日本経済　失われた30年 ☞P.45・47

　「インターネット・バブル」「ドットコム・バブル」ともいう。1999
年から2000年のアメリカを中心に、ＩＴ関連企業の株価が異常に急騰
し、その後短期間で急落したバブル。世界中に不況をもたらし、日本で
もいざなみ景気（☞P.267）まで景気後退期となった。

JICA 〔国際経済〕 ODA ☞P.292

「ジャイカ」と読む。Japan International Cooperation Agency の略、「独立行政法人国際協力機構」。日本のODAをおこなう実施機関。

J-REIT 〔日本経済〕 買いオペレーション ☞P.46・241

「ジェイ・リート」と読む。日本版REIT（不動産投資信託、☞P.285）。日本では 2000 年に解禁され、日銀の買いオペの対象にもなっている。

M&A 〔ミクロ経済〕 企業 ☞P.116

Margers & Acquisitions の略、（企業の）合併と買収。文字どおりの合併、買収のほか、事業の譲渡や会社分割なども含む。広い意味では、合弁会社の設立、資本提携、業務提携などもM&Aと呼ばれる。目的としては、事業の拡大、新市場への参入、企業グループの再編、事業の統合、破綻した企業の救済（救済合併）などの場合が多い。

MMT 〔マクロ経済〕

Modern Monetary Theory の略、現代貨幣理論。自国通貨の発行額に制約を受けない国は、インフレを抑えればいくら借金をしても財政破綻しないとする経済理論。ただし、中央銀行への信任が失われた場合には深刻なインフレになることも考えられ、実現困難な理論といわれている。

ODA 〔国際経済〕 経常移転収支 ☞P.59

Official Development Assistance の略、「政府開発援助」。政府の資金によりおこなわれる途上国などに対する国際協力活動。日本では政府とJICA（☞P.292）などの政府関係機関が実施している。OECDには、開発援助委員会（DAC、Development Assistance Committee）が置かれ、毎年、各国のODAの実績が公表される。

OECD 〔国際経済〕 自由貿易 ☞P.56

Organisation for Economic Co-operation and Development の略、「経済協力開発機構」。経済成長（☞P.190）、貿易自由化、途上国支援を三大目的として、世界 35 ヵ国（2017 年現在）で構成する国際機関。年 1 回開催される閣僚理事会と、年 2 回公表される「経済見通し（Economic

Outlook）」は、しばしばニュースなどで報道される。とくに経済見通しでは、世界全体と加盟各国の経済成長率の予想をおこなうことから、その結果にはつねに注目が集まる。

PCE コアデフレーター 〔マクロ経済〕 FRB ☞ P.237

　ＰＣＥは Personal Consumption Expenditure の略、「個人消費支出」。PCE デフレーターは、アメリカ商務省が毎月発表している個人消費の物価動向指標で、名目ＰＣＥを実質ＰＣＥで割って算出する。価格変動が激しい食品とエネルギーを除いたものが「ＰＣＥコアデフレーター」で、ＦＲＢ（☞ P.237）が最も重視する物価指標として知られる。

REIT 〔日本経済〕 J-REIT ☞ P.292

　「リート」と読む。Real Estate Investment Trust の略、「（上場）不動産投資信託」。投資家の資金を集めて不動産を購入し、賃借料や売却益を還元する。金融商品取引所に上場され、自由に売買することが可能。日本版は「Ｊ‐ＲＥＩＴ」（☞ P.292）の愛称で呼ばれる。

SDR 〔国際経済〕 IMF ☞ P.62

　Special Drawing Rights の略、ＩＭＦからの「特別引出権」。加盟国の出資額に応じて割り当てられ、通貨危機などの際に、ＳＤＲと引換えに他の加盟国から通貨を融通してもらうことができる。

TOB 〔ミクロ経済〕 企業 ☞ P.116

　Take-Over Bid の略、「株式公開買付け」。買付け数や価格、期間などを公表して、市場外で不特定多数の株主から買付けをおこなう。議決権の３分の１を超える株式の買付けを市場外でおこなう場合は、原則として公開買付けが義務づけられている。

索引

あ行

赤字国債 ……………………… 267
アジアインフラ投資銀行………… 74
アジア開発銀行 ………………… 74
アダム・スミス
　…56・88・138・224・254・255・256
悪貨は (が) 良貨を駆逐する ……… 169
アバ・ラーナー ………………… 149
アルフレッド・マーシャル ……… 104
暗号資産 ………………………… 77
アーサー・セシル・ピグー … 128・164・189

いざなぎ景気 …………………45・267
いざなみ景気 …………………45・267
異次元緩和 ……………………… 48
一致指数 ……………… 202・203・204
一致指標 …………………… 24・25
一般均衡理論 (分析) …………… 259
イノベーション ………………192・267
インセンティブ ………………… 91
インバウンド消費 ……………… 268
インフレ・ターゲット ………… 187
インフレ率………………………34・187
インフレーション (インフレ)
　………………… 35・39・186・187

ウィリアム・スタンレー・ジェボンズ …98・259
失われた 30 年 …………………… 45
ウラジーミル・レーニン ………… 257
売りオペレーション (売りオペ) … 241

エブセイ・ドーマー …… 193・210・221
円借款 …………………………… 268
円高 (円高ドル安、円高ユーロ安)……… 43
円安 (円安ドル高、円安ユーロ高)……… 43

欧州委員会 ……………… 237・268
欧州中央銀行 ………………… 237
欧州中央銀行制度 ……………… 237
大きな政府 …………………… 225
オスカー・モルゲンシュテルン ……… 154
オペレーション ………………32・240
卸売物価指数 ………………… 185
オークンの法則………………… 268

か行

買いオペレーション (買いオペ) … 239・241
外貨準備 (高) …………………61・63
外国為替市場 (外為市場)………64・67
外国為替相場 ……………42・54・65
外需 …………………………… 28
外為ブローカー ………………… 64
外部経済 ………………… 161・162
外部性 (外部効果)………………… 161
外部性 (外部効果) の内部化 …… 163
外部不経済 ……………161・162・213
価格 …………………91・95・101
価格機構 ……………………… 135
価格効果 ……………………… 114
価格受容者 …………………… 134
価格政策 ……………………… 238
価格設定者 …………………… 147
価格先導制 …………………… 151
価格メカニズム…………… 135・150
下級財 ………………………… 112
家計 …………………………84・108
可処分所得 …………………… 268
寡占 (寡占市場、寡占企業) … 150・151
価値 …………………………… 93
価値のパラドックス …………… 93
株価 …………………………… 40
貨幣 ………………… 218・228
貨幣市場…………196・246・249・250
貨幣乗数 ……………………… 235
貨幣数量説 …………………… 264

貨幣の中立性（中立性命題）······ 244・264
可変費用 ······························· 122
神の見えざる手······················ 138・224
カルテル······························· 158
為替（外国為替、外為）····················· 42
為替介入（外国為替市場介入、外国為替平衡操作）
···························· 61・67
為替市場 ····························· 64
為替相場 ····························· 65
為替ダンピング······················· 268
為替レート····························· 65
完全競争市場（完全競争）··············· 131
完全雇用 ········ 220・225・226・248
完全雇用財政赤字 ···················· 220
完全雇用 GDP ················· 226・269
完全失業率 ··························· 269
管理通貨制度 ························ 229
カーボンニュートラル ·················· 79
カール・マルクス ······················ 257
カール・メンガー ·················· 50・259

機械受注統計 ························ 269
機会費用 ····························· 97
企業 ···························· 84・116
企業物価指数 ···················· 34・185
企業向けサービス価格指数 ········ 34・185
基軸通貨（基準通貨）···················· 63
基準年 ······························· 184
基準割引率および基準貸付利率 ·····239
希少性（の原理）················92・95・138
基礎的財政赤字 ················ 219・221
基礎的財政収支 ······················ 30
キチンの波（キチン循環）········ 206・208
ギッフェン財 ·························· 115
逆需要曲線（逆需要関数）················· 147
逆選択（逆選抜） ······ 160・168・169
キャピタル・ゲイン ·············· 179・269
供給 ································· 101
供給曲線（のシフト）
····· 103・104・132・135・136・163

供給サイド······························· 263
供給の（価格）弾力性 ····················· 107
業況判断指数 ··························· 269
競争価格 ····························· 133
均衡価格 ··· 104・132・133・135・136
均衡国民所得 ························· 199
均衡点 ······························· 104
均衡取引量 ··························· 104
均衡利子率 ··························· 199
近代経済学 ··························· 88
金本位制度 ··························· 229
金融 ································· 232
金融緩和 ····························· 270
金融規制 ················ 46・243・270
金融経済 ····························· 270
金融市場 ····························· 243
金融システム ························· 243
金融システム改革····················· 46
金融システムの安定 ·············· 236・243
金融収支 ····························· 61
金融政策 ········· 32・199・218・232・
243・251
金融引き締め ························· 270
金融持株会社 ························· 270
金利 ································· 36
キーカレンシー ······················ 63

クズネッツの波（クズネッツ循環）
·························· 206・209
クラウディング・アウト（効果） ··· 217・251
クラウドファンディング ················ 78
繰り返しゲーム ······················ 159
グレシャムの法則····················· 169
クレマン・ジュグラー ·················· 208
クロスの代替効果 ···················· 113
グローバル・サウス ··················· 73
グローバル・バリュー・チェーン ······270

計画経済（社会主義計画経済）······87・270
景気 ···················· 20・172・202

景気ウォッチャー調査	271	決済通貨	63
景気拡大（景気回復、景気拡張）	21・42	限界（限界概念）	100・258
景気基準日付	207	限界革命	100・259
景気後退（景気収縮、景気縮小）	21・42	限界効用	94・100・109・258・259
景気指標	24	限界効用逓減の法則	109・258
景気循環（景気変動、景気の波）		限界資本費用	273
	21・203・206	限界消費性向	200・215・258
景気循環論	206	限界生産（限界生産物、限界生産力）	
景気動向指数	24・202		118・258
景気の谷	21・40・207	限界生産（力）逓減の法則	118・258
景気の山	21・40・207	限界生産物価値（限界生産価値）	140
景況感	25・271	限界収入	119・124・125・166・258
経済	82	限界値	119
経済安定化（機能）	31・214	限界貯蓄性向	200・273
経済一体化	68	限界費用（限界コスト）	
経済学	88	103・119・121・	125・166・258
経済活動	83	限界分析	119
経済主体	84・108・116・177	限界労働費用	140・273
経済成長	190	減価償却費	122・273
経済成長率	67・190	現金通貨	233
経済成長理論	190・192	現金預金比率	235・273
経済センサス	271	建築循環	209
経済統計	179	ゲーム（の）理論	154
経済統合	68		
経済の鏡	40	コアCPI	184
経済の基礎的条件	67	公開市場操作	32・238・240
経済のグローバル化（経済のグローバリゼー		交換	86
ション）	52	交換価値	93
経済の体温計	37	好況（好景気）	22・23・206
経済発展の理論	192	公共財	160・165
経済連携協定	54・70	公共選択論	273
経常移転収支（第二次所得収支）	59	公共投資	274
経常収支	59・60	公共部門	212
計量経済学	271	公債	220
ケインジアン	272	公債の中立命題	222
ケインジアン・クロス	272	合成の誤謬	178
ケインズ	194・225・226・260	公定歩合	274
ケインズ革命	261	公定歩合操作	32・238
ケインズ経済学	244・260・262	行動経済学	265
ケインズ政策	195・226・260・263	行動ファイナンスのプロスペクト理論	265

効用‥‥‥‥‥ 94・95・108・118・133
合理的期待仮説 ‥‥‥‥‥‥‥‥ 274
国債 ‥‥‥‥‥‥‥‥‥‥‥‥‥‥‥ 220
国際収支 ‥‥‥‥‥‥‥‥‥‥ 60・67
国際 (決済) 通貨 ‥‥‥‥‥‥‥‥ 63
国際通貨基金 ‥‥‥‥‥‥‥‥‥‥ 62
国際分業 ‥‥‥‥‥‥‥‥‥‥ 52・274
国内企業物価指数 ‥‥‥‥‥‥‥ 185
国内産出額 ‥‥‥‥‥‥‥‥‥‥‥ 175
国内純生産 ‥‥‥‥‥‥‥‥ 175・182
国内総支出 ‥‥‥‥‥‥‥‥ 175・181
国内総所得 ‥‥‥‥‥‥‥‥ 175・181
国内総生産 ‥ 26・175・181・195・246
国富 ‥‥‥‥‥‥‥‥‥‥‥ 177・274
国民可処分所得 ‥‥‥‥‥‥‥‥ 175
国民経済計算 (国民経済計算体系)
‥‥‥‥‥‥‥‥‥‥‥‥‥ 29・174
国民純生産 ‥‥‥‥‥‥‥‥ 175・182
国民所得 ‥ 175・183・190・194・195
国民所得の三面等価の原則 ‥‥‥ 274
国民総所得 ‥‥‥‥‥‥‥‥‥‥‥ 175
国民総生産 ‥‥‥‥‥‥‥‥‥‥‥ 29
コストプッシュ・インフレ ‥‥‥‥ 275
ゴッセンの第1法則 ‥‥‥‥‥ 109・258
コッラド・ジニ ‥‥‥‥‥‥‥‥‥ 145
固定資本減耗 ‥‥‥ 172・182・195・275
固定相場制 (固定為替相場、固定レート制)
‥‥‥‥‥‥‥‥‥‥‥‥‥‥‥‥ 66
固定費用 (固定費) ‥‥‥‥‥ 121・122
古典派経済学 (古典派、古典学派、イギリス
　古典派経済学)‥‥‥ 93・100・224・264
混合経済 ‥‥‥‥‥‥‥‥‥‥‥‥ 275
コンドラチェフの波 (コンドラチェフ循環)
‥‥‥‥‥‥‥‥‥‥‥‥ 206・209
コンポジット・インデックス ‥‥‥‥ 203
コースの定理‥‥‥‥‥‥‥‥ 160・164

さ行

財‥‥‥‥‥‥‥‥‥‥‥‥‥‥‥‥ 83
在庫循環 ‥‥‥‥‥‥‥‥‥‥‥‥ 208
最後の貸し手 ‥‥‥‥‥‥‥‥‥‥ 243
財市場 ‥‥‥‥‥‥‥ 246・249・250
最終生産物 ‥‥‥‥‥‥‥‥‥‥‥ 275
歳出 ‥‥‥‥‥‥‥‥‥‥‥‥‥‥ 30
財政‥‥‥‥‥‥‥‥‥‥‥‥‥‥‥ 30
財政赤字 ‥‥‥‥‥‥‥‥‥‥‥‥ 219
財政収支 ‥‥‥‥‥‥‥‥‥‥ 67・275
財政政策 ‥‥‥‥‥‥ 31・199・213・251
最適化行動 ‥‥‥‥‥‥‥ 90・223・265
歳入 ‥‥‥‥‥‥‥‥‥‥‥‥‥‥ 30
サイモン・クズネッツ ‥‥‥‥‥‥‥ 209
債務不履行 ‥‥‥‥‥‥‥‥‥‥‥ 62
サステナビリティ ‥‥‥‥‥‥‥‥‥ 79
サッチャリズム ‥‥‥‥‥‥‥ 227・276
サブスクリプション ‥‥‥‥‥‥‥‥ 78
サプライサイド ‥‥‥‥‥‥‥‥‥ 263
差別財 ‥‥‥‥‥‥‥‥‥‥‥‥‥ 152
サミュエルソンの公式 (サミュエルソン条件)
‥‥‥‥‥‥‥‥‥‥‥‥‥‥‥ 166
サンク・コスト ‥‥‥‥‥‥‥‥‥‥ 127
三面等価の原則 (GDPの三面等価の原則)
‥‥‥‥‥‥‥‥‥‥‥‥‥‥‥ 181
サービス‥‥‥‥‥‥‥‥‥‥‥‥‥ 83
サービス収支 ‥‥‥‥‥‥‥‥‥‥ 59
サーベイランス‥‥‥‥‥‥‥‥‥‥ 62

シカゴ学派‥‥‥‥‥‥‥‥‥ 227・263
資金運用 ‥‥‥‥‥‥‥‥‥‥‥‥ 173
資金調達 ‥‥‥‥‥‥‥‥‥‥‥‥ 173
資源配分 ‥‥‥‥‥‥‥‥‥‥ 31・138
資源配分機能 ‥‥‥‥‥‥‥‥‥‥ 213
自己資本比率 ‥‥‥‥‥‥‥‥‥‥ 276
資産効果 ‥‥‥‥‥‥‥‥‥‥ 40・189
資産デフレ‥‥‥‥‥‥‥‥‥‥‥‥ 188
支出 ‥‥‥‥‥‥‥‥‥‥‥‥ 86・173
支出国民所得 ‥‥‥‥‥‥‥‥‥‥ 276

市場	86・87・130	需要曲線 (のシフト)	
市場価格 (表示)	133・140・195・276		102・132・135・136・147・247
市場機構	135	需要サイド経済学	261
市場均衡 (市場均衡点)	132	需要の (価格) 弾力性	106
市場経済	52・87	準通貨	230・278
市場の外部性	160・161	準備通貨	63
市場の失敗	160・165〜168・213	準備預金	233・242
市場メカニズム		準レント	143
	87・135・137・138・160・224	使用価値	93
自然独占	149	上級財	112
失業率	67・276	小循環	208
実験経済学	277	上場投資信託	278・290
実質金利	277	乗数効果 (乗数プロセス)	215・217・260
実質経済成長率	191	乗数理論	215・278
実質GDP	180・186・191	消費関数	200
実体経済	277	消費関数論争	201・278
私的財	165	消費者物価指数	34・184
自動安定化装置	216	消費者余剰	136
ジニ係数	145	消費マインド	278
自発的失業	226	情報の非対称性 (情報の不完全性)	160・167
四半期別GDP速報	29	正味資産	177
資本	117	所得	172・183
資本収支	60	ジョセフ・A・キチン	208
資本主義	277	所得効果	110・112・115
資本主義市場経済	87	所得再分配	31・145
社会主義市場経済	87・277	所得再分配機能	214
社会的余剰	137	所得収支 (第一次所得収支)	59
ジャン・バティスト・セイ	224・252	ジョン・スチュアート・ミル	255・256
重商主義	56・254	ジョン・ナッシュ	155・170
囚人のジレンマ	156	ジョン・メイナード・ケインズ	194
収入	120・277	新貨幣数量説	264
重農主義	254	神経経済学	279
自由貿易	56	新古典派経済学	258
自由貿易協定	68・69	新自由主義	227・263
自由放任主義	224	新設住宅着工戸数	279
需給ギャップ	278	新発10年国債利回り	279
需給均衡 (競争均衡)	104	信用貨幣	228
ジュグラーの波 (ジュグラー循環)	206・208	信用乗数	235
主循環	208	信用創造	234
需要	101		

数量政策	238	総余剰	137
スタグフレーション	39・227・263	ソフトカレンシー	63
ストック	176	ソロー=スワン・モデル	280
		損益分岐点 (損益分岐点売上高)	126

政策金利	238
生産	85・172
生産関数	119
生産国民所得	279
生産コスト	103
生産者物価指数	279
生産者余剰	136
生産要素	96・117・183
正常財	112
生成AI	76
制度部門別貸借対照表	177
正の外部性	162
セイの法則	224・260
政府	84・213
世界恐慌	279
世界銀行	53・280
世界貿易機関	57
絶対優位	55・280
設備投資	280
設備投資循環	208
ゼロ金利政策	47・239
先行指数	202・205
先行指標	24・25・40
全国企業短期経済観測調査	25
先進7ヵ国財務大臣・中央銀行総裁会議	53
全部効果	114
戦略 (ゲーム理論)	154

総供給	195・246
総供給曲線	246・248・263
操業停止点	126
総収入	124・125
総需要	194・246
総需要曲線	249
総費用 (総コスト)	121・125
総費用曲線	125

た行

代替効果	111・112・115
代替財	113
ダウ平均株価	281
兌換紙幣	229
ただ乗り	166
短観	24・25
短期金利	38・239
短期波動	208
短プラ	38
弾力性	106

小さな政府	213・225・227・263
遅行指数	202・205
遅行指標	24・25
地方債	220
中央銀行	228・236
中央政府	213
中間生産物	281
中期波動	208
超インフレーション	187
超過供給	105・163
超過需要	105
長期金利	37・48
長期波動	209
長プラ	38
賃金の下方硬直性	247・260

通貨	229
通貨危機	281
通貨残高 (通貨供給量)	230
通貨スワップ協定	281
通貨バスケット制	281

ディフュージョン・インデックス … 203・204
デノミネーション …………………… 282
デジタル通貨………………………… 77
デビッド・リカード … 55・222・255・256
デフォルト ………………………… 62
デフレーション（デフレ）
　………………… 35・39・186〜188
デフレ・スパイラル …………… 35・188
デフレマインド …………………… 282
デマンドサイド経済学 …………… 261
デマンドプル・インフレ ………… 282
デリバティブ ……………………… 282
テーパリング …………………… 49

投機的動機 ……………………… 262
同質財 …………………………… 152
東証株価指数 …………………… 41
独占（独占市場、独占企業）… 146・147・150
独占的競争 ……………………… 153
独占度 …………………………… 149
独占利潤 ………………………… 148
土地 …………………………… 117・142
トマス・マルサス ………………… 255
取引動機 ………………………… 262
ドルペッグ制……………………… 282
トレード・オフ ………………… 92・96
ドーマーの条件（ドーマーの定理）…… 221

な行

内需 …………………………… 28
内生的成長モデル（理論） ………… 193
ナイフ・エッジの均衡 …………… 193
内部留保 ………………………… 283
ナッシュ均衡………………… 155・157

ニクソン・ショック …………… 66・283
ニコライ・コンドラチェフ ……… 209
日銀短観 ……………………… 24・25
日銀特融 ………………………… 243

日経平均株価（日経平均、日経225）… 41
日本銀行（日銀） …………… 228・236
日本版金融ビッグバン……………… 46
ニュー・ケインジアン …………… 283

ネオリベラリズム ………………… 263

は行

ハイパワード・マネー ………… 233・235
ハイパー・インフレ …………… 187
バブル経済（バブル、バブル景気）…… 44
バブル崩壊 ………………… 44・188
パレート最適（パレート効率性）… 139・160
ハロッド＝ドーマー・モデル（理論）… 193
バローの中立命題 ………………… 223
バーゼルⅠ、Ⅱ、Ⅲ ……………… 283
ハードカレンシー ………………… 63

比較優位（の原則／原理）………… 55・256
比較劣位 ………………………… 284
ピグー課税（ピグー税）………… 160・164
ピグー効果………………………… 189
非自発的失業（者） ……… 226・247・260
ヒストリカルDI …………………… 284
非弾力的な需要曲線 ……………… 106
1人あたりGDP ……………… 26・180
費用 …………………………… 97・120
費用曲線（総費用曲線）…………… 120
ビルト・イン・スタビライザー … 214・216

ファンダメンタルズ ……………… 67
フィッシャー効果………………… 284
フィリップス曲線………………… 284
ヴィルフレド・パレート …………… 80
フィンテック ……………………… 75
フォワードガイダンス …………… 284
フォン・ノイマン ………………… 154
フォン・ノイマンの他部門成長モデル … 285
フォーク（の）定理 ……………… 159

300

付加価値 …………… 27・85・144・172
不完全競争市場 ……… 134・146・160
不換紙幣 ……………………………229
不況 (不景気)………… 22・23・206
福祉国家 …………… 225・226・285
複占 (複占市場、複占企業) …………150
双子の赤字 ……………………………285
物価 (物価の安定) ……… 33・184・236
物価安定の目標 ………………34・187
物価指数 ……………………34・184
物価上昇率 ………………… 34・67
不動産投資信託 …………… 285・293
負の外部性 …………………………162
プライス・テーカー ………… 134・147
プライス・フォロワー ……… 151・285
プライス・メーカー ………………147
プライス・リーダー (プライス・リーダーシップ)
………………………………………151
プライマリー・バランス … 30・219・221
プライムレート …………………… 38
プラザ合意 …………………………285
フリーライダー …………………………166
ブレトンウッズ体制 ………………286
プレーヤー (ゲーム理論) ……… 154・155
ブロック経済…………………………286
フロー ……………………………… 176
フロート制…………………………… 66
分配 ……………………………… 85
分配国民所得 ………………………286

ペイ・オフ …………………………… 155
平均消費性向 …………………………201
平均費用 ……………………………… 123
ペッグ制…………………………66・286
ヘルマン・ハインリヒ・ゴッセン ……258
変動相場制 (変動為替相場、変動レート制度)
………………………………66・187
変動費用 (変動費) ………… 121・122
ベースマネー ………………………233

貿易……………………………………… 54
貿易赤字 (貿易黒字) ………………… 58
貿易収支 ……………………… 58・59
法定準備預金額 ……………………242
法定準備率操作 ……………………242
訪日外客数 …………………………286
補完財 ……………………………… 114
保護貿易 (保護主義) ………………… 56
本位貨幣 ……………………………228
ポール・アンソニー・サミュエルソン … 166
ボーンの条件 ………………………221

ま行

マイナス金利政策………………………… 48
埋没費用 (埋没コスト) ………………127
マクロ経済学……… 88・89・172 ～ 252
摩擦的失業 …………………………226
マックス・ローレンツ ………………144
マネタリスト ……………… 244・264
マネタリズム ……………… 227・264
マネタリーベース ………………48・233
マネーサプライ
………… 230・235・245・262・264
マネーストック ……………………230
マルクス経済学(マルクス主義経済学、マル経)
………………………………88・257
マルクス主義……………… 257・287
マーケット …………………………130
マーシャルのK ……………………231
マージン率………………………149
マーストリヒト条約 ………………287

見えざる手…………………………138
ミクロ経済学 …… 88・89・100 ～ 170
水とダイヤモンドのパラドックス …… 92
ミルトン・フリードマン … 227・263・264
民間部門 …………………………212

301

無担保コールレート (オーバーナイト物)
　…………………… 239・240・287

名目金利 ……………………………… 287
名目経済成長率 …………………… 191
名目 GDP
　…… 179・180・186・191・221・231

モラル・ハザード ……………………… 167

や行

夜警国家 ………………………… 225・287

有効求人倍率 ……………………… 288
有効需要 ………………………… 194・195
有効需要の原理 …195・226・260・261
輸出入 …………………………………… 54
輸出物価指数 ……………………… 185
輸入物価指数 ……………………… 185
ユーログループ …………………… 288
ユーロ圏 (ユーロゾーン、ユーロエリア)
　…………………………54・72・237

預金貨幣 (預金通貨) ……………… 228
預金準備率 ………………………… 242
預金準備率操作 ……… 32・238・242
預金保険機構 ……………… 243・288
予備的動機 ………………………… 262
ヨーゼフ・シュンペーター …………… 192

ら行

ラーナー指標 ……………………… 149

リカードの中立命題 (リカードの等価定理) …222
リカード＝バローの中立命題 ………… 223
利潤 ………………… 95・116・120
利潤の最大化 ……… 125・133・148
利息 (利子) ………………………… 36

利得 ………………………………… 155
利得表 (ペイ・オフ表) …………… 156
リバタリアニズム ………………… 288
リフレーション ……………………… 288
流動性選好 (説) ……… 218・261・262
流動性の罠 ………………………… 218
量的金融緩和 ……………………… 47
量的・質的金融緩和 …………48・239

累進課税 ………………… 216・289

レオン・ワルラス …………… 259・266
レッセ・フェール ……… 224・254・256
劣等財 ……………………………… 112
レモン市場 ………………………… 169
レント …………………………… 142
レント・シーキング ……………… 143
連邦公開市場委員会 ……………… 237
連邦準備銀行 ……………………… 237
連邦準備制度理事会 ……………… 237
レーガノミクス ……………… 227・289

ロイ・ハロッド ……………………… 193
労働 ……………………………… 117
労働価値説 ………………………… 256
労働市場 ………………………… 246
労働市場の均衡 …………………… 247
労働分配率 ………………………… 289
ロナルド・コース ………………… 164
ロバート・ギッフェン ……………… 115
ローレンツ曲線 …………………… 144

数字・アルファベット

08SNA ……………………………… 174
20 ヵ国財務大臣・中央銀行総裁会議 … 53
93SNA ……………………………… 174
AD 曲線 ……………………… 249・250
AD-AS モデル (分析) ……… 250・261
ADB ……………………………… 74

AEC ……………………… 72・289	GNI……………………………… 175
AFTA ……………………… 69	GNP ……………………………… 29
AIIB ……………………… 74	ICT ……………………………… 291
APEC ……………………… 289	IMF ……………………………… 62
AS 曲線 ………………… 248・250	IS 曲線 ……………… 197・199・249
ASEAN ……………………… 68	IS-LM モデル ……… 196・199・232
ASEAN 自由貿易地域 ………… 69	IT バブル ………………… 47・291
BIS ……………………… 289	JICA ……………………………… 292
BIS 規制 ……………… 290	J - R E I T …………………… 292
BRICS ……………………… 73	JSNA…………………………… 174
CD ……………………… 230・290	LLR……………………………… 243
CGPI ……………………… 185	LM 曲線 ……… 198・199・232・249
CI ……………………… 203	M&A …………………………… 292
CP ……………………… 230・290	MMT …………………………… 292
CPI ……………………… 184	NDP ……………………174・175・182
CPTPP ……………………… 71	NI ……… 174・175・183・190・195
CSPI ……………………… 185	NNP ……………………… 175・182
DI ……………………… 203・204	ODA …………………………… 292
DX ……………………… 76	OECD ………………………… 292
ECB ……………………… 237	PB ……………………………… 30
EPA ……………………… 68・70	PCE コアデフレーター …………… 293
ESCB……………………… 237	QE ……………………………… 29
ESG 投資 ……………… 290	QT ……………………………… 49
ESM ……………………… 290	RCEP………………………… 68・71
ETF ……………… 46・241・290	REIT …………………………… 293
EU ……………………… 72	SDR ………………………… 62・293
FOMC ……………………… 237	SNA …………………………… 174
FRB ……………………… 237・243	TOB …………………………… 293
FRS ……………………… 237	TOPIX ………………………… 41
FTA ……………………… 69	USMCA ……………………… 57
G7 (サミット／首脳会議) …… 53	WTO …………………………… 57
G20 ……………………… 53	
GAFA ……………………… 291	
GATT……………………… 57	
GDE ……………………175・181・291	
GDI……………………… 181・291	
GDP …………26・27・54・172・174・	
175・179・181・182・190・194・195・	
202・246	
GDP デフレーター …… 34・180・186	

●監修者紹介
鈴木一之（すずき・かずゆき）

株式アナリスト。千葉大学卒業後、大和證券に入社。株式トレーディング室に配属され、株式トレードの職務に従事。2000年に独立後、独立系株式アナリストとして、相場を景気循環論でとらえる「シクリカル銘柄投資法」を展開。経済、景気、株式市場の動向等のわかりやすい解説に定評がある。BS12トゥエルビ「マーケット・アナライズ plus+」、ラジオ NIKKEI「マーケット・アナライズ・マンデー」ほか各種メディアや講演会でも活躍中。著書に、『きっちりコツコツ株で稼ぐ　中期投資のすすめ』『これならできる！有望株の選び方』（日本経済新聞出版社）、『景気サイクル投資法』（パンローリング）がある。

　公式ホームページ　https://suzukazu.com

本書の内容に関するお問い合わせは、**書名、発行年月日、該当ページを明記**の上、書面、FAX、お問い合わせフォームにて、当社編集部宛にお送りください。**電話によるお問い合わせはお受けしておりません。**また、本書の範囲を超えるご質問等にもお答えできませんので、あらかじめご了承ください。

　FAX：03-3831-0902
　お問い合わせフォーム：https://www.shin-sei.co.jp/np/contact.html

落丁・乱丁のあった場合は、送料当社負担でお取替えいたします。当社営業部宛にお送りください。
本書の複写、複製を希望される場合は、そのつど事前に、出版者著作権管理機構（電話：03-3513-5088、FAX：03-3513-5089、e-mail：info@jcopy.or.jp）の許諾を得てください。
JCOPY〈出版者著作権管理機構　委託出版物〉

改訂版　経済用語イラスト図鑑

2024年7月15日　　初版発行

監 修 者	鈴　木　一　之
発 行 者	富　永　靖　弘
印 刷 所	今家印刷株式会社

発行所　東京都台東区　株式　新星出版社
　　　　台東2丁目24　会社
　　　　〒110-0016　☎03(3831)0743

© SHINSEI Publishing Co., Ltd.　　　　Printed in Japan

ISBN978-4-405-10439-6